おとなの教養3

私たちは、どんな未来を生きるのか?

池上 彰 Ikegami Akira

おとなの教養3――私たちは、どんな未来を生きるのか？　目次

編集協力　斎藤哲也
校閲　大河原晶子
北崎隆雄
図版作成　手塚貴子
DTP　佐藤裕久

序章　私たちは、どんな未来を生きるのか？

新型コロナウイルスの感染拡大によって、私たちは、未来が不確実なものであることを、あらためて思い知ることになりました。

二〇二〇年一月ごろまでは、日本中の誰もが、夏には東京オリンピックとパラリンピックが開催されると思っていたはずです。観戦にやってくる大勢の外国人を見込んで、新しい宿泊施設や観光施設も次々とつくられました。

そこに「まさか！」が起こったわけです。

私たちは、ついつい、**未来を現在の延長線上にあるものとしてイメージしてしまいがちです。**

バブル時代の日本では、好景気がこの先も続いていくだろうと多くの人が思っていたでしょう。「一億総中流」のまま、日本はもっと豊かになっていく。高級車やリゾートマンション、ゴルフ場会員権や美術品が飛ぶように売れました。

リゾートマンションを建てた会社も、買った人も、よもやマンションの価値が大暴落するとは考えもしませんでした。しかし、当時数千万円のリゾートマンションは、やがて数十万円で投げ売りされるようになりました。

世界に目を向けても、戦後の東西冷戦時代には、世界中の人々が資本主義国と社会主義国の対立がずっと続いていくだろうと思っていました。私自身もそうです。自分が生きている間に、まさか、ベルリンの壁が壊され、ソ連が崩壊するなんて考えてもみませんでした。

だったら、未来のことなんて考えてもしようがない。そう思いたくなる人もいるかもしれません。

でも、それではあまりに無防備です。

むしろ、こう考えてみませんか。**未来は不透明で、不確実です。だからこそ、「私たちは、どんな未来を生きるのか?」を考えなければいけないのだ、と。**

「未来に備える」とはどういうことか

本書は『おとなの教養』シリーズの三作目となります。

一作目となる『おとなの教養』では、時代が動いても変わることのない普遍的教養、すなわち**「リベラルアーツ」**について解説しました。

それに続く二作目『おとなの教養2』では、歴史や政治学、宗教や経済学などの知識を駆使して、日々のニュースや出来事を捉え直す力を養うことを目指しました。日々、洪水のように流れてくるニュースに振り回されるのではなく、いったん立ち止まって「私たちはいま、どこにいるのか?」をたえず意識する。リベラルアーツが**「人を自由にする学問」**という意味をもつことを考えれば、日々のニュースを掘り下げて理解する力も、現代の重要な教養です。

そして、いよいよ本書『おとなの教養3』では、これら二冊で培(つちか)った力も踏まえながら、私たちがこれからの未来を生きていくうえで、必要不可欠な知識や考え方を取り上げます。

先ほども言ったように、未来は不透明で不確実です。しかし不確実だからといって、丸腰のままでは、突発的な出来事が起きたときに翻弄(ほんろう)されてしまいます。

では、そんな未来に備えるには何が必要でしょうか。不透明で不確実なものに対して、大局的な見通しをもつことは可能なのでしょうか。最も重要なことは、**過去の経験や失敗から学ぶこと**です。

たとえば、二〇二〇年二月二七日、安倍晋三総理大臣（当時）が全国すべての小中高校などに臨時休校を要請し、これが大きなニュースになりました。関係者の多くも寝耳に水だったようで、専門家にも相談していませんでした。

何の前触れもなく、突然、一斉休校を要請されれば、学校現場は大混乱するに決まっています。

二〇〇九年に新型インフルエンザが世界中で流行したとき、日本では、大阪府や兵庫県の公立校が一斉に休校をしました。このときの経験を踏まえ、二〇一二年に民主党政権のもとで「新型インフルエンザ等対策特別措置法」が制定され、その翌年、安倍内閣のもとで「新型インフルエンザ等対策政府行動計画」が作成されました。

それらを見ると、休校の要請は、あらかじめ文部科学省をはじめとした関係省庁と、学校関係者との間でよくすり合わせをしたうえで、都道府県知事が行うことなどが記されています。

安倍総理は、こうした過去の経験や知見から学んでいませんでした。その結果、学校現場や家庭に大きな負担を強いることになってしまったわけです。

SARSの失敗を生かした台湾

反対に、過去の失敗からの学びを生かしたのが台湾です。

ＳＡＲＳ（重症急性呼吸器症候群）が流行したときに、台湾は対応に失敗し、大きな痛手を負いました。

台湾で初めてＳＡＲＳの感染が報告されたのは二〇〇三年三月一四日です。中国に駐在していた男性会社員が台湾に戻ったのちに発症しました。

その後、四月二一日までに、この男性からの二次感染者を含む二八人の感染が確認され、衛生当局は接触歴の追跡を行って感染者の隔離を徹底しました。

これで初動対応は成功したかのように見えたのですが、その直後、台北市の和平病院で院内感染が発生しました。

発端は四月九日、台北に住む女性ＡさんがＳＡＲＳに似た症状を訴え、受診に訪れたことです。検査の結果、陽性反応が出たため、医師はＳＡＲＳの疑いがあるとして疾病管制局（現・疾病管制署）に報告しました。

しかし、そこで出された結論は「ＳＡＲＳではない」というもの。Ａさんに海外への渡航歴、感染者との接触歴がないことがその理由とされました。

当初、ＡさんをＳＡＲＳ患者として扱っていた病院側は、ＳＡＲＳではないという判断を受け、警戒を緩めました。病院とすれば疾病管制局の出した結論にもとづく合理的な対応でしたが、これにより院内の医療従事者七人が感染してしまった。

この事実が判明すると、台湾当局は思い切った行動に出ます。四月二四日、この病院を強制的に封鎖したのです。その結果、病院内に閉じ込められた一三〇〇人以上のスタッフや患者らがパニックに陥り（おちい）ました。

この混乱のなかで、無理やり抜け出した患者らが病状を隠したままあちこちの病院へ行ったことで、他の病院でも院内感染が起きました。封鎖された和平病院では一五四人の感染者を出し、うち三一人が死亡。台湾でＳＡＲＳが終息したのは、初の感染者が出てから約四ヶ月後の七月五日でした。

このような失敗の教訓から、台湾は感染症への初動対策を徹底的に準備しました。同時に、これ以降、台湾は中国で起きていることを常にモニターするようになりました。SARSのように、いつ大陸から最悪な事態がやってくるかわからないからです。

その結果、二〇一九年一二月末には、大陸で新型の肺炎患者が出ていることに、いち早く気づきました。そのおかげで、先手先手で対策を講じることができ、新型コロナの封じ込めに成功しました。

この例が示すように、**過去の経験や失敗から学ぶことができれば、突然の出来事が起きたとしても対応することができます。それが未来に備えるということ**です。

予兆や伏線を見つける

さあ、ここで教養の出番です。

過去の経験や失敗といっても、自分一人が経験できることにはかぎりがあります。しかし、歴史をひもとけば、人類は膨大な経験と失敗を積み重ねてきたことがわかります。過去の歴史に学び、それを未来に生かしていく。

それが、本書で伝えたいと考えている**「未来を生きるための教養」**です。

では、どうすれば過去からの学びを、未来に生かせるようになるでしょうか。ここでは二つのポイントを説明しておきましょう。

一つは、大きな変化をもたらした出来事の**予兆や伏線を見つける**ことです。

たとえば、二〇一六年のアメリカ大統領選挙では、ほとんどの人が「まさか、トランプが当選することはないだろう」と考えていました。だからこそ、結果が出たときに、世界中が驚いたわけです。

でも、いまから振り返ってみると、予兆はたしかにありました。同じ年の六月に、イギリスのEU（欧州連合）離脱が国民投票で決まっているのです。

現在の視点から見れば、イギリスのEU離脱もトランプ現象も、自国第一主義の台頭というふうに理解することができます。だから当時であっても、イギリスと同じようなことがアメリカで起きるかもしれないという想定は、決して的外れなものではなかったはずです。

ちなみに、私自身も残念ながら「トランプが当選する」とまでは言えませんでした。二〇一六年の初めのころは、ヒラリー・クリントンで決まりだと思っていました。しかし選挙戦が進むにつれて、どちらかわからなくなってきました。結局、二〇一六年一〇月末の段階では、「どちらが勝つかはわかりません」とコメントしていました。

もちろん、ある出来事が何かの予兆になっていたかどうかは、あとになってみなければわからないことです。でも、**過去の歴史を振り返り、大きな変化をもたらした予兆が何であったのかと考えることは、その次の予兆を発見する力を養ってくれます。**

よくできた推理小説やミステリー小説を読むと、犯人を特定する伏線が張りめぐらされています。読んでいる最中にはそれに気づかないかもしれません。でも、最後に犯人がわかったあとで、もう一度読み返すと、たしかに伏線が張ってある。

私たちの歴史にも同じことが言えます。第二章で述べるように、たとえば、中世のヨーロッパを席巻（せっけん）したペストは、のちのルネッサンスや宗教改革へと至る大きな伏線になりました。

その意味で、歴史をミステリー小説のように捉えてみることは、未来の出来事の予兆や伏線に気づく嗅覚を養うトレーニングになるのです。

逆の視点から物事を考えてみる

過去からの学びを未来に生かす二つ目のポイントは、**逆の視点で考えてみる**ことです。

たとえば、中国は「南シナ海はすべて中国の海だ」と主張し、二〇一四年ごろからサンゴ礁（しょう）を埋め立て、南沙（なんさ）諸島（スプラトリー諸島）に次々と人工島を建設しています。

ただし、南沙諸島は地理的に中国本土から遠く離れているうえに、南シナ海は台湾、ベトナム、フィリピン、マレーシア、ブルネイがそれぞれ、ある範囲の領有権を主張しています。

現在の海洋法に照らして考えれば、南シナ海すべてを中国のものだとするのはどうしたって無理があります。このときに「中国は自分勝手な国だから」と思うだけでは、一面的な理解にとどまってしまいます。

そこで、「なぜ中国はそんな乱暴な主張をするのか」と逆の視点に立ってみることが重要です。

じつは中国が南シナ海の領有権を主張する根拠にしているのは、明の時代の鄭和の大航海です。

一五世紀初頭、鄭和は、明の皇帝である永楽帝の命令にもとづいて大艦隊を率い、南シナ海を開拓し、ヴァスコ・ダ・ガマやマゼラン隊より早くアフリカまで遠征しました。だから、南シナ海はもともと中国のものなのだ、というわけです。

鄭和の大航海はたしかに歴史的な事実ですが、言うまでもなく現代の国際社会のなかで、こうした中国の主張が正当化されるわけではありません。そのことを許してもいけないでしょう。

しかし、中国の行動を理解し、そのうえで彼らがこれからしようとしていることに備えておくためには、**主張の裏側にある歴史的な背景を知ることも大切**なのです。

ガソリン車からEVへの転換をどう読み解くか

いま述べたことを現代の問題に応用してみましょう。

このところ、世界中でガソリン自動車から電気自動車（EV）への転換の機運が高まっています。イギリスは二〇三〇年までに、中国は二〇三五年までに、ガソリン車の販売を禁止する方針を打ち出しました。EU諸国もほぼ同様の目標を掲げています。

ガソリン車から電気自動車に変えようとしている最大の目的は、温室効果ガスを削減することです。気候変動問題は、人類が直面している大きな問題の一つで、その解決のためにガソリン車から電気自動車への転換が有効だと考えられているのです。

電気自動車への転換は、ガソリン車の技術では遅れをとっていた中国にとって、願ってもないチャンスです。電気自動車であれば、どの国もゼロからスタートの競争なので、優位に立つことができれば世界のマーケットを手に入れられます。

他方で、それが日本の産業界に与える負の影響は計り知れません。石油産業は言わずもがなですが、同様に深刻な影響を受けるのは自動車部品産業です。

ガソリン車のエンジンは七〇〇〇点もの部品からできています。それらの部品を製造することで、多くの中小企業は生計をたててきました。エンジンの精密部品の製造には大変な技術力が必要であり、それこそ日本のお家芸と言うべきものだったからです。

しかし、電気自動車の世界にエンジンは必要ありません。経済産業省の想定によれば、電気自動車への転換によって、新たに増える分を差し引いても、約三割の部品がいらなくなるといいます（経済産業省「素形材産業ビジョン追補版」）。それだけの部品がいらなくなったら、日本の部品産業は危機的な状況に陥ってしまいます。

そうは言っても、気候変動問題や、世界の潮流を考えると、電気自動車への転換は不可避でしょう。だとすれば、**逆に電気自動車ならではのリスクはないか、と考えてみてはどうでしょうか。**

たとえば、日本ではしばしば豪雪のために、自動車が立ち往生してしまうことがあります。二〇二一年一月にも、北陸自動車道で一〇〇〇台以上の自動車が立ち往生する事態が生じました。

このようなアクシデントでも、ガソリン車であれば、エンジンの排熱が利用できるので、暖房でかなり長い時間をしのぐことができます。仮にガス欠になっても、携行缶で給油できます。

ところが、電気自動車の場合、バッテリーが底をついたらアウトです。車内の暖房も利かなくなるし、タイヤも動きません。しかも、びっしりと車が立ち往生しているなかでは、充電するのも困難でしょう。

そうすると今度は、長時間の立ち往生にも耐えられるような電気自動車をつくることに、イノベーションのチャンスが生まれるのではないか。こういうふうに発想していくことができるかもしれません。**ある出来事を逆の視点から考えることは、未来への想像力を鍛えることにもつながる**のです。

「どんな未来を生きるのか？」を考えるための六項目

では、「私たちは、どんな未来を生きるのか」と言ったとき、具体的にどのような問題に注目すればいいのでしょうか。本書は、六つのテーマから考えてみます。

①気候変動

今後、人類が協力して乗り越えなければならない最大の問題が気候変動問題です。二〇一五年に採択されたパリ協定では、産業革命以来の世界の平均気温上昇を二度未満に抑えることを、世界の国々が約束しました。

温暖化が進むと、地球環境にどのような変化が起こるのでしょうか。そして、いま現在、世界各国はどのような対策を講じているのでしょうか。

これまで、温暖化対策と経済成長は両立不可能なものとして捉えられてきました。そのために、いずれ危機が訪れることはわかっていても、国の指導者たちは、目先の経済成長を追求し、地球環境の危機から目を逸らしてきました。産業界も「わかっちゃいるけど、やめられない」が本音だったのです。

しかし、もはや根本的な対策を講じなければ、手遅れになってしまうところにきています。はたして、**温暖化対策と経済成長の二律背反を解決する手立てはあるのか**どうか。私たちの未来は、二〇二〇年代の気候変動対策にかかっていると言っていいでしょう。

②ウイルスと現代社会

新型コロナウイルスの感染拡大によって、私たちの生活は大きく変わりました。これまで必要性は言われていながらもなかなか導入が進まなかった、在宅勤務やオンライン会議、リモート教育が一気に実現してしまったのです。

シリーズ一作目『おとなの教養』では、「人間と病気」を現代の重要な教養科目であるとして取り上げました。そこでも解説したように、感染症は人類の歴史を大きく動かしてきた。だとすれば、今回のコロナ禍もまた、歴史を大きく転換させる出来事になるかもしれません。

とりわけ、私たちは感染予防と人権の尊重という難しい選択を迫られています。強力な監視体制を敷いている中国は、強権的な措置によって、世界でいち早くコロナを封じ込めることに成功しました。では、それができない民主的な国家は、どのようにして感染防止と人権のバランスをとればいいのでしょうか。

これは、今回のコロナ禍にかぎった話ではありません。今後、また新たなパンデミックが起きてもおかしくはありません。**感染症と現代社会の関係を考えることは、民主主義の未来に対しても重要な示唆を与えてくれます。**

③データ経済とDX

時代はいま、「石油の世紀」から「データの世紀」へと大きく変わろうとしています。

その大転換を促す原動力となっているのが、「GAFA」と呼ばれる巨大プラットフォーマーたちです。

彼らが主導するデータ経済、あるいはデジタル経済は、私たちの社会の産業構造を根本的に塗り替えようとしています。そしていま、政府も企業も**「DX（デジタル・トランスフォーメーション）」**を合言葉に、組織のさまざまな機能をデジタル化することに躍起になっています。

デジタル化は上手に活用すれば、社会の非効率なシステムを改善していくものです。しかしデジタル化とともに、データ経済が広がれば広がるほど、データの悪用や濫用というリスクも高まっていきます。

データ経済はこの先、どこに向かっていくのでしょうか。膨大なデータを生み出しているのは、スマートフォンを携帯している私たち一人ひとりの行動です。その当事者として、デジタル化の光と闇をしっかりと考えておかなければなりません。

④米中新冷戦

現代の米中対立は「新冷戦」と呼ばれています。しかし、新冷戦はかつての東西冷戦とは大きく異なる点があります。それは、東西冷戦がイデオロギー対立だったのに対して、新冷戦は、国家の経済力や安全保障、資源をめぐる争いであるという点です。

コロナ以前から、新冷戦がますます激化し、中国がアメリカを凌駕(りょうが)する日がやってくるのではないかという予想はありました。ただ、もっと先だろうと思われていた両国の差が、コロナによって一気に縮まってしまったのです。

東西冷戦の終結以降、経済のグローバル化が進んだものの、そのひずみは自国第一主義を生み出しました。しかし今後は、そこからさらに進んで、**米中による世界再編の時代に突入する**かもしれません。

二〇二一年に新しく誕生したバイデン政権も、対中政策の手を緩めることはないでしょう。ますます対立を深める新冷戦は、これからの日本、そして世界にどのような影響を与えるのでしょうか。

⑤人種・LGBT差別

アメリカの「Black Lives Matter」運動に象徴されるように、近年、差別が再び大きな社会的問題となっています。LGBT差別しかり、移民排斥しかりです。

ここでは、そのような現代の差別を「イデオロギーからアイデンティティへ」というキーワードで読み解いていきます。

東西冷戦後、欧米諸国の国内政治は、**イデオロギー対立から、アイデンティティの承認を求める「アイデンティティ政治」**へと移り変わっています。

イデオロギー対立の時代は、労働者と資本家という対立が政治の方向性を左右しました。しかし、その時代が終わると、特定の集団の利益や承認が政治的な目標として掲げられるようになってきたのです。

それは一方では、これまで不当な差別を受けてきたマイノリティの権利を尊重することにつながりますが、他方ではアイデンティティによる政治的な分断をまねくことにもなります。

分断の溝が深まっている現在、どうすれば私たちは異なる他者と共生することができるのでしょうか。

日本にもこれから、多くの移民が入ってくることが予想されます。欧米諸国の経験や失敗から、日本が学べることは数多くあるはずです。

⑥ポスト資本主義

資本主義には、貧富の格差を拡大する力が内在している。このことを見事に実証したのが、フランスの経済学者トマ・ピケティの著作『21世紀の資本』でした。

そして格差や貧困を放置することは、人道的な問題であると同時に、その国の発展を損なうものでもあります。では、どうすれば格差を縮めることができるのでしょうか。

さまざまなアイデアが出ていますが、とりわけ近年、注目を集めているのが「**ベーシックインカム**」です。コロナ禍をきっかけとして、ヨーロッパのいくつかの国や地域では、ベーシックインカムの実験が始まっています。

また、二〇二〇年のアメリカ大統領選では、バーニー・サンダースをはじめとする民主社会主義者が若者から熱狂的な支持を集めました。これらの出来事は、むきだしの資本主義に修正を迫るものとして、捉えることができるかもしれません。

では、**資本主義に代わる新しい経済システムをつくり出すことは可能でしょうか。それとも資本主義の枠内で、資本主義を変革していくべきなのでしょうか。**資本主義はいま、大きな曲がり角を迎えているのです。

じつは、こうして本書で挙げる六つのテーマは、相互に深く関係しています。

気候変動問題もまた、格差や貧困と同様に、資本主義が生み出したものです。ですから、地球温暖化を防ぐためには、これまでの資本主義を見直すことが求められています。

今回のコロナ対応からもわかるように、ウイルスと現代社会というテーマは、データ経済やDX抜きに語ることはできません。さらに、米中新冷戦もまた、デジタル化する世界の覇権争いという側面を強くもっています。

五つ目のテーマである差別や移民排斥の根っこには、格差の問題が大きく横たわっています。とすれば、差別もまた資本主義のあり方と深く結びついていると言えるでしょう。

いま指摘した結びつき以外にも、それぞれのテーマとテーマの間に、さまざまな関係性を見出すことができるかもしれません。本書を読み終えたら、あなたもぜひご自身で考えてみてください。理解がさらに深まるはずです。

さあ、それでは前置きはこのくらいにして、**「未来のための教養講義」**を始めていくことにしましょう。

第一章 気候変動——地球はもう限界なのか？

そもそも気候変動問題とは何か

私たちの未来を考えるうえで、世界中の誰もが避けて通ることのできない大きな問題があります。それが**「気候変動問題」**です。

日本では「地球温暖化」という言葉がよく使われていますが、国際会議などの公(おおやけ)の場では**「気候変動」**と言います。気候変動とは、人為的な理由で気候が変わること。それに対して、自然現象として気候が変わることは**「気候変化」**と呼びます。

近年は、天気の変化がおかしくなっているとあなたも感じられているのではないでしょうか。とんでもなく暑い日が何日も続く。何十年に一度という台風や豪雨、降雪が毎年のように起こる。「異常気象」という言葉もしょっちゅう耳にします。

でも、異常気象が当たり前のように起こるのならば、それはもう異常気象とは言えません。たまに起きるから「異常」と言っていたのに、日常的に異常気象という言葉が使われる。もはや異常が平常になるという、大きな変化がいま起きているということです。

その最大の要因と考えられているのが、温室効果ガスの排出です。

地球は太陽光からエネルギーを受け取る一方で、赤外線の形で宇宙にその熱を逃がしています。もし、宇宙へ出ていく熱をさえぎるものが一切なければ、地球の平均気温はマイナス一八度からマイナス一九度ぐらいになると、現代の科学では計算されています。

でも実際には、地球全体の平均気温はおよそ一四度から一五度になっている。この温度の差はなぜ生じるのでしょうか。それは、水蒸気、二酸化炭素、窒素化合物などが赤外線を吸収して熱を蓄えているからです。これらをまとめて「温室効果ガス」と言います。

ある意味では温室効果ガスのおかげで、地球は私たちが過ごしやすい環境になっていると言えます。しかし、温室効果ガスがあまりに増えすぎると、熱が溜まりすぎて地球がサウナのようになってしまう。それがいま現実になりつつある、というのが気候変動問題なのです。

現在、科学的な分析によって、産業革命以後、二酸化炭素の量が急増していることが明らかになっています（図表1-1）。石油や石炭などの化石燃料を大量に使用してきたことが、その理由です。その結果、世界の平均気温は上がり続けてきました。具体的には、統計を取り始めた一八九一年以降は一〇〇年あたり〇・六八度の割合で上昇していることがわかっています。

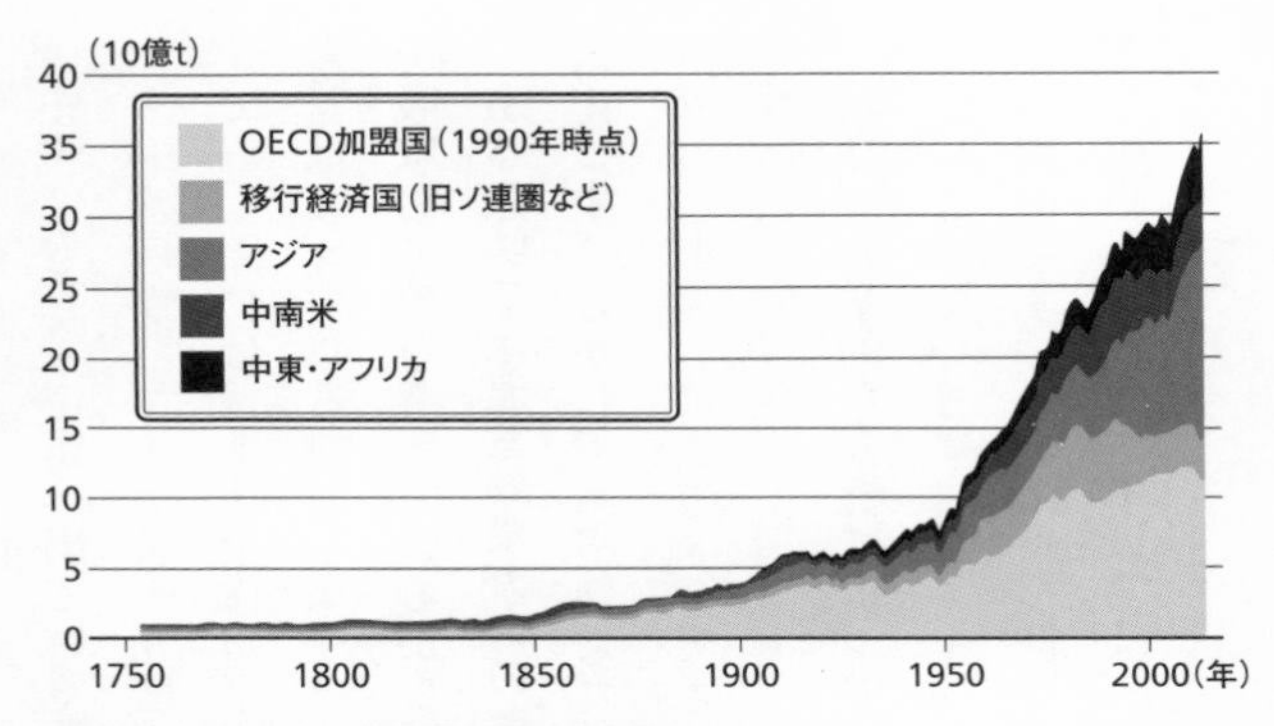

図表1–1　世界の二酸化炭素排出量(燃料、セメント、フレアおよび林業・土地利用起源。IPCC第5次評価報告書 WG3 Figure TS.2をもとに作成)

問題は二酸化炭素ばかりではありません。先ほど説明したように、水蒸気や窒素化合物なども二酸化炭素と同じように赤外線を吸収します。ですから、温暖化が進み、海水がどんどん蒸発すると、地球の温暖化がさらに加速するという悪循環に陥ります。

また、シベリアの永久凍土には、大量のメタンが含まれています。これが融(と)けると、凍っていたメタンが気体になって放出されるようになります。メタンは二酸化炭素よりはるかに温室効果が高いため、これも地球温暖化を加速させると考えられているのです。

地球温暖化がもたらす二億人の環境難民

それでは、温暖化が進むとどのような被害が生じるでしょうか。

たとえば温暖化が進むと、日本ではマラリアの感染が発生するのではないかと危惧されています。太平洋戦争では、多くの日本人兵士が東南アジアでマラリアにかかり、亡くなりました。そして戦後、復員という形で東南アジアから帰国した兵士たちが起点となり、国内でマラリアの感染が拡大しています。

ですから、これだけ温暖化が進んでいるなかで、今後また、マラリアが広がる可能性は否定できません。何しろ、マラリアはいまも世界中で多くの人間を殺しているのです。マラリアやデング熱の感染を媒介する蚊は、人間を最も多く殺している生物として知られます。ちなみに二番目に殺しているのが、人間自身であるという事実もあるのですが。

マラリアだけではありません。二〇一六年には、ロシア・シベリアのヤマル半島で、炭疽の集団発生があり、死者も出ました。その原因は、温暖化の影響で永久凍土が融け、そこから現れたトナカイの死骸に炭疽菌が残っていて、他の動物に感染して人間にまで広がったからだ、と言われています。

このように、永久凍土に閉じ込められていた**過去の病原菌が姿を現し、人間が感染する事態はこれからもっと起きるかもしれません。**

海面上昇の問題もとても深刻です。誤解のないように言っておくと、温暖化で北極の氷が融けても海面は高くなりません。北極は大陸がありませんから、北極海に浮かんでいる氷が融けたからといって、海面は上昇しない。これはコップに入れた氷水の氷が融けても、水面の高さが変わらないのと同じ原理です。

一方、南極大陸やシベリアなど、陸地の氷が融けて海に流れ込めば、当然、海水量が増えますから海面は上昇します。

もっとも、海面上昇の最大の理由は、陸の氷が融けるからではなく、海水温度の上昇です。温暖化が進むと海水温度が高くなります。海水温度が高くなると、海水が膨張するので、海面が上昇してしまうのです。

すでに南太平洋ソロモン諸島のタロ島では、海面上昇によって島が侵食されてしまい、約八〇〇人の住民が別の島に移住することが決まりました。他にも、ツバルやキリバスなど、海面上昇によって水没の危険にある島が数多くあります。これから多くの南太平洋の島民たちが、住む場所を追われてしまうのです。

これまでは、紛争や戦争、内乱などで自国の外に避難せざるを得ない難民がいました。それに加えて、これからは気候変動によって自国に住めなくなる人たちが次々に難民になって、他国に避難せざるを得なくなってくる。これを**「環境難民」**と言います。

国連の予測では、二〇五〇年までに気候変動に起因する難民は二億人に達するだろうと言われています。近年、ただでさえ紛争や内戦で難民が増えているのに、環境難民が二億人も出たら、その人たちをどうやって受け入れることができるのか。気候変動はこういった国際問題も引き起こす可能性があるのです。

温暖化懐疑論をどう考えればいいか

はたして、このような未来は本当に訪れるのでしょうか。じつは地球温暖化を疑う人もいます。

たとえば、地球の歴史を見ると、地球全体が氷河に覆(おお)われた寒い時代と、温暖な時代が繰り返されています。そのサイクルで考えれば、現在の地球もずっと温暖化するわけではなく、いずれまた寒くなるに違いない、というわけです。

しかし、こうした温暖化懐疑論に対しては、別の専門家から、近い将来に氷期がやってくる確率はきわめて低いという反論が出ていますから、それほど説得力がある懐疑論ではありません。

あるいは、「温暖化が進行している」と主張する研究者は、研究予算が欲しいからそう言っているのではないか、と疑惑の目を向ける人もいます。また、温暖化の進行を止めるために二酸化炭素の排出に厳しい規制がかかれば、化石燃料の使用は控えられ、原子力発電が推進されるようになる。ということは、原子力発電を推進したい人たちと研究者の間に癒着があるのではないか、と疑う人もいます。

温暖化が進んでいるということになると、政治的にも経済的にも、さまざまな政策がとられることになります。ですから、**科学的な実証性とは別のところで、気候変動の問題は、疑惑にさらされやすいし、政争の具にもなりやすい**のです。

ただし、同じことは、温暖化を否定する人に対しても言えます。

たとえば、アメリカの共和党議員の大半は、「地球温暖化は起きていない」と主張しています。トランプ前大統領はその筆頭です。彼らの多くは、石油産業や石炭業界から多額の政治献金をもらっています。だから「温暖化している」とは口が裂けても言えないのです。

重要なことは、どちらの側に立つにせよ、政治的な思惑からではなく、科学的な証拠にもとづいて議論をすべきだということです。気候変動が**全人類に避けがたく影響を及ぼす大問題だからこそ、科学的な態度で臨む必要があります**。

もちろん科学といえども「絶対」はありません。しかし、これまでの科学的な証拠の積み重ねによれば、二酸化炭素の増加によって地球温暖化が進行していることは、ほぼ確実視されています。地球環境に深刻な問題を引き起こす可能性は高いのです。

京都議定書からパリ協定へ

さあ、だとしたらこれから人類は、温室効果ガスの排出を減らしていかなければなりません。二〇二〇年一〇月二六日、菅義偉(すがよしひで)総理大臣は国会の所信表明演説で「二〇五〇年までに温室効果ガスを実質ゼロにする」と宣言しました。

この温室効果ガスを「実質ゼロにする」とはどういうことか、あなたは説明できますか？

私たち人類は、大量の二酸化炭素などを出しながら生活しています。先ほど産業革命以降、大気中の二酸化炭素濃度は上昇し続けていると言いましたが、とりわけ第二次世界大戦以降、二酸化炭素排出量は加速度的に増えているのです。

しかしその一方で、森林を増やしたり整備したりすれば、植物の光合成によって二酸化炭素の吸収量は増加します。あるいは、石油や石炭を使った火力発電を減らし、太陽光発電や風力発電などの再生可能エネルギーを増やしていけば、二酸化炭素の排出量を減らすことができます。

こうした取り組みを通じて、温室効果ガスの排出量と吸収量が釣り合った状態にすることが「実質ゼロにする」ということです。そして、それを世界的な目標に定めた重要な取り決めがあります。二〇一五年の「**パリ協定**」です。

二〇一五年一二月、フランスのパリで開かれたＣＯＰ21（国連気候変動枠組条約第21回締約国会議）は、①産業革命以来の世界の平均気温上昇を二度未満に抑えること、さらに、一・五度未満を努力目標とすること、②温暖化の原因になる温室効果ガスの排出量を今世紀後半に実質ゼロにすること、を世界の国々が約束しました。これがパリ協定です。

パリ協定以前にも、温室効果ガスを減らす取り決めはありました。有名なものは、世界で初めて温室効果ガス削減に関する取り組みを約束した**「京都議定書」**です。

京都議定書は、一九九七年に京都で開催されたＣＯＰ３（国連気候変動枠組条約第３回締約国会議）で成立しました。しかしその内容は、先進国だけが温室効果ガスを減らす義務をもつというものでした。中国やインドなど開発途上国は、「温暖化は先進国が温室効果ガスを大量に出してきたためだ。その責任を貧しい国々に押し付けるな」と反対したのです。

結果、一九九〇年の排出量を基準に、先進国全体で五％の削減目標が掲げられました。さらに日本はマイナス六％、アメリカはマイナス七％、ＥＵはマイナス八％というように、国（地域）ごとに削減の数値目標が定められました。この目標は、二〇〇八年から二〇一二年までの五年間の平均で達成することを求めるものです。

アメリカは、このときクリントン政権。環境問題に熱心だったゴア副大統領自らが京都に乗り込み、削減目標を出すことに反対していたアメリカ国内の産業界を押し切って、七％削減を約束しました。

ところがその後、共和党のブッシュ政権に代わって事態は一変します。ブッシュ政権は石油資本に支えられていたので、温室効果ガス削減なんて言ったら、石油業界、あるいは石炭業界にとって大打撃になる。加えて、そもそも共和党自体が、環境対策には非常に後ろ向きだったこともあり、二〇〇一年、アメリカは京都議定書から離脱してしまったのです。

さあ、日本はどうなったか。結論から言うと、日本は目標とされた六%削減をはたすことができました。なぜか。二〇〇八年にリーマン・ショックがあったからです。リーマン・ショックで経済活動がすっかり落ち込みました。日本の産業を支える自動車業界も大打撃を受けました。そのために二酸化炭素の排出量が激減し、結果的に日本は目標をクリアすることができたというわけです。皮肉なことでした。

いずれにしても、開発途上国に削減の義務が課されなかったことや、世界全体の排出量の四割を占めていたアメリカが参加せず、中国が開発途上国とされたこともあり、世界全体としては、不十分な取り組みだったのは否めません。

これではとうてい、温暖化の進行を食い止めることができない。そこで二〇一四年にぺルーの首都リマで開かれた二〇回目の会議（COP20）では、先進国も開発途上国も、すべての国が共通のルールにもとづいて温室効果ガスの排出削減目標をつくるということで合意しました。それが二〇一五年にパリ協定としてまとまった、というわけです。

環境対策技術で中国が世界のトップに

このように、温室効果ガスを削減する世界的な取り決めはなんとか成立しました。しかし**問題は、世界の国々が本当にそれを実行できるかどうか**です。

事実、地球温暖化が人類に大きな損害を与えると言われているにもかかわらず、私たちはそれをあまり深刻に考えてきませんでした。それはなぜでしょうか。

最大の理由は、それでは経済が停滞してしまうと考えたからでしょう。**これまで、経済活動と温室効果ガス削減の取り組みは、両立の難しいものとして考えられてきました。**

たとえば、日本では京都議定書のとき、リーマン・ショックによる経済活動の停滞がなければ、温室効果ガスの削減は難しかった。経済活動をとれば、温室効果ガスを減らせない。温室効果ガス削減をとれば、経済活動が停滞してしまう。そういうジレンマが、気候変動問題には伴っていたのです。

政府も企業も、そして私たちも、いまの豊かさを手放したくない。地球温暖化がいつか大きな問題になるとしても、いまの経済発展を犠牲にはできない。そう考えて、本気で対策を講じてこなかったのです。

ところが二〇二〇年、新型コロナウイルスのパンデミックによって、世界中の経済活動は停止を余儀なくされました。その影響はリーマン・ショック以上です。

結果、世界中で環境改善を示す変化が現れました。ベネチアの海水が透き通ってきれいになった。インドの北部でヒマラヤがきれいに見えた。世界経済に急ブレーキがかかったのと引き換えに、地球環境が突如クリーンになったのです。

このことは、地球環境が人為的に汚染されている現実を、私たちにあらためて突きつけるものでした。それは同時に、私たちが努力すれば地球環境を改善できる、という証拠でもありました。コロナ禍によるブレーキは、やむを得ないものでしたが、やればできることが明らかになったのもまた一面の事実でしょう。

さらに最近になって、**温室効果ガスを減らすことは経済活動にはマイナスだという発想に**

も変化が現れています。

たとえば現在、中国の企業は環境対策技術の分野にかなり力を入れて取り組んでいます。世界の太陽光電池（太陽の光エネルギーを電気に変換する装置）のシェアを一位から三位まで独占し（二〇一九年時点）、風力発電でも中国は世界のトップです。

これまで太陽光発電や風力発電には、天候によって出力が大きく変動してしまうという課題がありました。この課題をクリアするためには、太陽光や風力で発電した大量の電力を溜めておける蓄電池の技術を開発しなければなりません。この蓄電池の分野でも、中国は世界のトップレベルまで来ています。

一九九七年の京都議定書のころは、日本の環境対策技術が非常に進んでいたのに対して、中国はほとんど対策を講じていませんでした。日本をはじめ先進国は、中国が大量の温室効果ガスを出し続けていくことを問題にしていました。ところが、**ふと気がつくと、その中国が環境対策技術の分野で世界のトップレベルに立っています。**

技術だけではありません。習近平国家主席もまた、菅総理の所信表明演説に先立って、二酸化炭素の排出量を二〇三〇年までに減少へと転換させ、二〇六〇年までには実質ゼロを目指すことを表明しました。さらに二〇三五年までに、ガソリン車の製造販売をすべて禁止するという方針も打ち出しました。

ヨーロッパも同じです。イギリスは、二〇三〇年にガソリン車の、二〇三五年には日本が得意とするハイブリッド車の販売を禁止する政策を打ち出しています。ＥＵ諸国も切り替えの年は国によって少し異なるものの、ガソリン車を廃止して電気自動車に置き換えようという方針は一致しています。

こうした方針は政府の掛け声だけにとどまらず、産業界もいま必死になって温室効果ガスを減らす技術開発に注力しています。**これからの時代は、二酸化炭素を減らす技術を発展させることが、企業の成長や経済発展につながる**と考えられるようになったからです。

産油国にも広がる脱石油の動き

ヨーロッパに加え、いまや中国も、ガソリン車やディーゼル車の販売を禁止し、すべて電気自動車にするという方針を示しています。

この動向にいちばん危機感を抱いているのが、サウジアラビアやアラブ首長国連邦（Ｕ

AE）のような産油国です。

とくにサウジアラビアは、ムハンマド皇太子が必死に改革を進めています。これまで禁止されてきた女性の自動車運転を認めたり、映画館をオープンさせたりしました。また、投資立国を目指し、海外からの投資を集めようとしています。

サウジアラビアは非常に封建的なイスラム教の国で、スンニ派のなかでも、とくに厳格なワッハーブ派です。それだけに、男女が同じ映画館で一緒に映画を観ることができるようになっただけでも劇的な変化なのです。

サウジアラビアが躍起になって改革を進めている理由は、世界の石油離れを見据えてのことです。かつての産油国の悩みは、「石油が枯渇したらどうするか」というものでした。ところがそれより先に、**石油が売れない時代**が来てしまうかもしれない。

そうなる前に、海外企業からの投資を呼び込み、金融都市として名乗りを挙げたい。そこで、これまでの閉鎖的な社会を改革し、海外から多くの人に来てもらえる普通の国になろうとしている、というわけです。

サウジアラビアの改革の一つのモデルがアラブ首長国連邦です。アラブ首長国連邦は七つの首長国（アブダビ、ドバイ、シャルジャ、ラス・アル・ハイマ、フジャイラ、アジュマン、ウンム・アル・カイワイン）により構成される連邦国家です。首長とは、国王の次のランクのこと。サウジアラビアの国王に敬意を表して、この七つの首長国では国王を置かず、首長がトップになっています。

なかでも、ドバイの首長は切れ者で、いずれ石油がなくなったときのことを考え、ドバイを世界の物流の中継都市・国際金融都市として発展させてきました。ドバイを見て、オイルマネーの威力はすごいと思っている人がいるかもしれませんが、じつは海外からの直接投資によるものです。

金融都市となったドバイに負けてはいられないと、文化都市を目指しているのがアブダビです。二〇一七年一一月、アブダビに「ルーブル・アブダビ」が開館しました。本家・フランスのルーブル美術館の分館として、初めての海外展開となります。ルーブル・アブダビはペルシャ湾にぽっかり浮かぶサディヤット島という島にあります。ここにはニューヨークのグッゲンハイム美術館の分館として「グッゲンハイム・アブダビ」もオープンする予定です。

高等教育機関の整備にも力を入れています。二〇一〇年、アブダビにニューヨーク大学のアブダビ・キャンパスが設立されたほか、ドバイにもハーバード大学など、欧米名門大学の現地校が続々と進出しています。高等教育でもハブを目指しているのです。

ドバイやアブダビの首長は「石油が出る間に」と思っているのでしょう。その点、格上のサウジアラビアはこういうことをまったくやってこなかった。しかも、いまや**「石油が出る間」にではなく、「石油が売れる間」**になんとかしなければならないのですから、産油国の危機感は相当のものと言えます。

アメリカで起こったシェール革命

ここで、バイデン新大統領が誕生したアメリカに目を転じましょう。

いま、サウジアラビアやアラブ首長国連邦の方向転換について説明しましたが、じつは現在、世界最大の産油国はこれらの国ではありません。二〇一四年からは、アメリカが世界最大の産油国になっています。

アメリカの原油生産量は**「シェール革命」**によって飛躍的に増加しました。

一九七〇年ごろには、石油はあと三〇年でなくなると言われていました。ところが、最近そういった話はほとんど聞きません。むしろ世界の原油埋蔵量は減るどころか逆に増えています。新しい油田が見つかったり、技術の進歩によって、以前は難しいとされていた場所から石油が掘り出せるようになったりしたからです。

こうした技術革新の一つが二〇〇五年ごろ、アメリカで起こりました。地下二〇〇〇～三〇〇〇メートルにある**「シェール層」**と呼ばれる地層から、天然ガスや原油を取り出すことが可能になったのです。そして、このシェール層から採れる天然ガス（シェールガス）や石油（シェールオイル）の生産が急増し、アメリカは世界一の産油国になりました。

アメリカを世界最大の産油国に押し上げた**「シェールオイル」**は、従来の石油とどう違うのでしょうか。じつはシェールオイルという特別な種類の石油があるわけではありません。掘り出す方法が違うだけで、石油であることに変わりはありません。

そもそも石油は、石炭や天然ガスなどと同じ、化石燃料の一種です。太古の微生物の死骸などが元になっているため、そう呼ばれます。

海のなかの動物は寿命を迎えると海底に沈み、土や砂と一緒に積み重なっていきます。

数億年という時間のうちには、そうした遺骸(いがい)が厚く堆積して地層となるだけでなく、地殻の変動などによって地層ごと地下深くに潜り込むこともあります。

地球の地下深くには数百度、数千度の高熱のマントルがあるため、地下にいくほど温度が高くなります。そして地下深くの地層に含まれる動植物の遺骸が、地中の熱と圧力、そしてバクテリアの働きによって長い時間をかけて分解され、石油や天然ガスになるというわけです。

つまり石油をはじめとする化石燃料は、何億年という時間をかけて地球がつくりあげてきた資源なのです。では、なぜそれに石油という名がついたのか。

石油は地下にじゃぶじゃぶと溜まっているというイメージがあるかもしれませんが、地面の下でプールのようになっているわけではありません。地下深くの大きな圧力の影響で、細かい分子の形で岩のなかに押し込められている。だから「石の油」なのです。

シェールオイルも太古の動植物に由来する点は同じですが、先に述べたように地下二〇〇〇～三〇〇〇メートルにあるシェール層という地層に眠っています。シェールとは日本語で「頁岩(けつがん)（シェール）」と言います。「頁」という字の通り、本のページをめくるように薄く剝(は)がれる岩のことです。この頁岩の隙間に封じ込められている石油をシェールオイル、天然ガスをシェールガスと呼んでいます。

シェールオイルの存在は古くから知られていました。しかし、シェールの粒子は油層（油田）を形成する岩石より細かく、液体や気体を通す隙間もないため、閉じ込められた石油を取り出すことが技術的に難しく、採掘してもビジネスにはなりませんでした。従来の石油を採掘したほうがずっと安上がりだったからです。

ところが、二〇〇五年ごろ、アメリカでシェールオイルを取り出す新しい技術が確立されました。その方法は、まずシェール層まで縦に穴を掘ります。そこから横に穴を掘り進め、砂や化学物質を混ぜた大量の水を高圧でシェール層に注入します。すると、頁岩にひびが入り、岩の隙間に閉じ込められていた石油が放出されるのです（図表1-2）。

この「水圧破砕法（フラッキングまたはフラクチャリング）」と呼ばれる画期的な採掘法により、比較的低コストでシェールオイルを採掘できるようになりました。これが技術革新となり、アメリカでは二〇一〇年ごろからシェールオイルの生産が急増したわけです。

そして二〇一五年のアメリカの一日あたりの原油生産量は前年より八・五％増えて約一

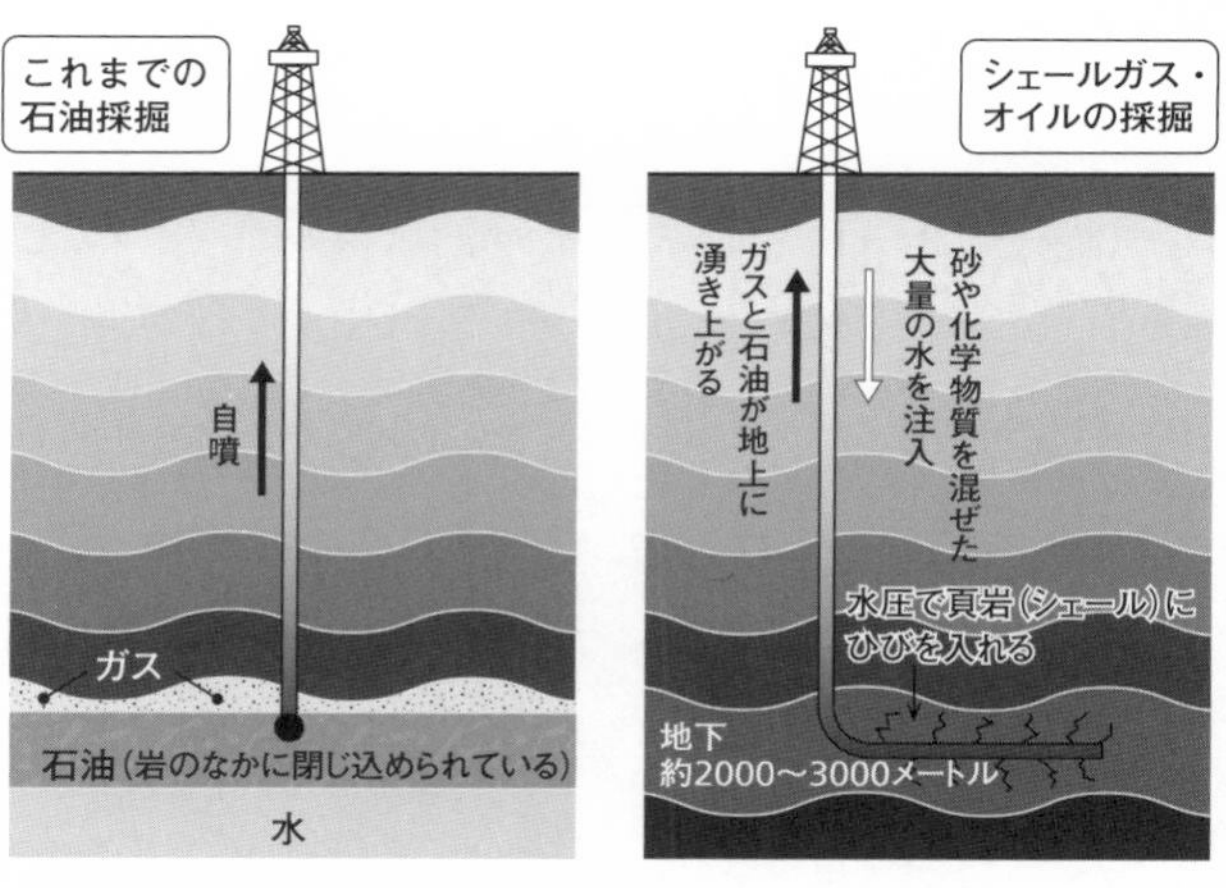

図表1–2　石油の採掘とシェールガス・オイルの採掘の違い（『池上彰の世界の見方 中東』〔小学館〕をもとに改変）

二七〇万バレルとなり、過去最高を記録。この前年の二〇一四年に、アメリカはサウジアラビアを抜いて世界最大の産油国になっています。アメリカが首位に立ったのは一九七五年以来、約四〇年ぶりのことです。

アメリカ大統領選の争点は何だったか

それでは、シェール革命によって世界一の産油国となったアメリカが、これからどのように気候変動問題に取り組んでいくのか。

この問題は、二〇一六年、そして二〇二〇年のアメリカ大統領選で大きな争点となりました。

トランプ前大統領は、一貫して石炭産業、石油産業の保護を唱え続けました。それが功を奏して、勝利をもぎとった州の代表がペンシルベニア州です。

ペンシルベニア州は、石炭産業や石油産業の労働組合があり、伝統的に民主党が強い州でした。でもトランプは頻繁にペンシルベニアに足を運び、炭鉱労働者の前で「地球温暖化なんか嘘だ。あれはアメリカ経済に打撃を与えようとする中国の陰謀だ」「温暖化なんかしていない。だからみんなどんどん石炭を掘ってくれ」と演説して、石炭産業に従事している人たちの支持を獲得しました。石油産業でも同様です。

対するヒラリー・クリントンはたかをくってしまった。どうせペンシルベニアは民主党の支持者が多いだろうと考え、全然足を運ばなかった。その結果、ほんのわずかな差でしたが、トランプ前大統領が勝利をおさめたわけです。

では、二〇二〇年の大統領選はどうだったでしょうか。候補者のテレビ討論会のなかで、バイデンは石油産業の転換を訴えました。石油産業は大気を汚染する。だから、これからは新しいエネルギーに変えていかなければならないと述べ、討論会後の記者会見で石油産業に対する補助金の打ち切りを明言しました。

当然、トランプはこのセリフをそのままペンシルベニアに持ち帰り、「バイデンは石油産業を壊滅させようと言っているぞ」と語って、バイデン優位の状況の巻き返しを図ったわけです。

結果はあなたもご存じのように、今度はトランプの巻き返しは実らず、僅差でバイデンがペンシルベニア州で勝ちました。そして、その他の州でも勝利をおさめ、新大統領に選ばれました。

グリーン・ニューディールとは

バイデン新大統領は、就任直後に、「パリ協定」に復帰する大統領令に署名しました。

もともとアメリカは二〇一六年九月、オバマ政権がパリ協定を批准しました。その後、トランプ前大統領は、二〇一七年六月にパリ協定からの離脱を表明しましたが、すぐに離脱できない仕掛けがパリ協定には組み込まれていました。

じつはパリ協定には、協定発効後、三年間は離脱を通告できず、通告してからも実際に離脱が認められるのはその一年後という規定があるのです。

パリ協定が発効したのは、二〇一六年一一月四日です。したがって、二〇一九年一一月にならないと、アメリカは離脱の通告はできませんでした。しかもそこから一年後、すなわち二〇二〇年一一月四日までは実際に離脱はできない。結局、アメリカがパリ協定から正式に離脱したのは、二〇二〇年一一月四日。二〇二一年一月にはパリ協定に復帰することになったので、アメリカが離脱していた期間はわずか二ヶ月半にとどまったのです。

バイデン新大統領は、今後四年間で二兆ドル（約二一〇兆円）規模の環境インフラ投資を掲げています。

振り返れば、二〇〇八年にオバマ元大統領も環境を重視した景気対策で、経済を建て直そうとしました。これを**「グリーン・ニューディール政策」**と言います。それが、先述したシェール革命で吹き飛ばされてしまいました。

天然ガスや石油が安くなり、火力発電が拡大するのと引き換えに、太陽光発電や風力発電は尻すぼみになってしまったのです。

しかし、オバマ政権の時代と現在とでは、気候変動問題に対する世界の注目度は大きく異なっています。一度は挫折（ざせつ）してしまったグリーン・ニューディールを再興できるかどうか。**気候変動問題への取り組みは、アメリカ経済のゆくえとも密接に関わっているのです。**

「実質ゼロ」は原子力発電が前提？

日本はどうでしょうか。先に紹介したように、菅義偉総理大臣は国会の所信表明演説で「二〇五〇年までに温室効果ガスを実質ゼロにする」と宣言しました。

しかし、ここまでの説明を読んでいただければわかるように、この宣言は世界的に見れば「ようやく」の感が否めません。

安倍政権の時代には、温室効果ガスを何年までにゼロにするといった表明はいっさい出ませんでした。そこには、ブレーンの多くが経済産業省出身者だったことも関係しているでしょう。また、トランプ政権が気候変動問題に後ろ向きだったため、「日本もアメリカと足並みを揃えていればいい」と、たかをくくっていたのかもしれません。

ところが、二〇二〇年の夏以降、トランプ落選が現実味を帯びてきたため、日本はあわてふためいた。バイデンが大統領になれば、本腰を入れて温暖化対策を推進する。ヨーロッパや中国は、ルールづくりや技術開発で、日本より一歩も二歩も先を行っている。このままでは国際社会のなかで、温暖化対策のみそっかすになってしまう。こうした危機感から、突如、所信表明演説に**「実質ゼロ」**が盛り込まれたように見えます。

さらに、じつは菅総理の所信表明演説には次のような言葉もありました。

省エネルギーを徹底し、再生可能エネルギーを最大限導入するとともに、安全最優先で原子力政策を進めることで、安定的なエネルギー供給を確立します。

ここでさりげなく触れられているように、再生可能エネルギーだけでは「実質ゼロ」にはできない。だから、原子力発電所の運転を増やしていきましょう、という**原子力政策の推進が温室効果ガス削減の背景にはある**ということです。

とはいえ、福島第一原発事故が起きて以降、原子力発電所を新しくつくることは非常に難しくなっています。そこで経済産業省は、古くなった原子炉を廃炉にして、新しい原子炉をつくりなおす「建て替え」を進めていこうとしています。

全国どこの原子力発電所も敷地は非常に広い。もともと原子炉を増設することが可能なように、あらかじめ広い敷地につくっているので、現在の原子炉が廃炉になったら、その横に新しい原子力発電所をつくることができるわけです。

政府も経済産業省も、このことをまだ表立って主張していませんが、少なくとも温室効果ガスをゼロにするうえで、原子力発電所の運転を増やしていくことが前提となっていることはたしかです。

なぜ日本車は世界を席巻できたのか

かつての日本は省エネ技術で世界のトップを走っていました。

一九七〇年代に起こったオイルショックでは、もう石油が手に入らないかもしれないという切迫した状況に陥りました。さらに、自動車の排気ガスによる大気汚染も深刻な問題になり、日本企業は対応を迫られることになりました。

その発端になったのは、一九七〇年にアメリカで制定された自動車の排気ガスを規制する法律です。アメリカ合衆国上院議員、エドマンド・マスキーが提案したことにちなんで

「マスキー法」と呼ばれています。

このマスキー法は、排気ガス中に含まれる一酸化炭素や炭化水素、窒素酸化物を従来の一〇分の一にしなければ、自動車を販売することはできないという大変厳しいものでした。

このとき、日本は死にものぐるいで技術革新に力を入れ、ホンダのＣＶＣＣエンジンや、マツダのサーマルリアクターエンジンなど、エネルギー効率のいいエンジンの開発に成功しました。その結果、非常に燃費のいい自動車をつくることができるようになりました。さらに日本国内でも、日本版マスキー法が実現し、アメリカ同様の排気ガス規制が設けられました。

他方、アメリカの自動車産業はロビイストを使って、この法律を骨抜きにし、技術開発がそっちのけになってしまったのです。そこにオイルショックがやって来ました。こうして小型で燃費が安く排気ガスも少ない日本車がアメリカで爆発的に売れるようになったのです。

以後、日本の排気ガス規制は、世界でいちばん厳しい規制と言われました。それをクリアしたからこそ、日本車は世界市場を席巻することができたわけです。

温室効果ガス削減についても同じことが言えます。政府が本気で規制し、企業が本気で技術開発に力を注ぐことができれば、**日本版グリーン・ニューディール**が実現できるかもしれません。

ただ、現状を見るかぎり、むしろヨーロッパや中国に水をあけられています。その意味で、二〇二〇年代に気候変動問題にどれだけ覚悟をもって取り組めるかが、日本の未来を大きく左右することになるでしょう。

二一〇〇年を越えて生きる若者のために

二〇一九年九月に開かれた国連気候行動サミットで、一六歳のスウェーデンの環境活動家グレタ・トゥンベリさんが演説したことを覚えているでしょうか。

彼女は地球温暖化に危機感をもち、世の大人が真剣に対策に取り組んでいないのではないかと、前年の夏から毎週金曜日に学校を休み、たった一人でスウェーデンの国会議事堂の前に座って対策をとるように政治家たちに呼びかけていました。

これは「**学校ストライキ**」と呼ばれ、最初はたった一人の行動でしたが、瞬(またた)く間に世界

「気候のための学校ストライキ」と書かれたボードをもったグレタ・トゥンベリさん（中央）。2019年2月21日、ブリュッセルで撮影（写真提供：毎日新聞社）

に広がりました。国連でのサミットを前に、世界一五〇ヶ国以上で約四〇〇〇万人の若者が一斉にデモ行進したのです。日本では小規模な活動にとどまりましたが、世界の何百万という若者が国境を超えて連帯し、**「グローバル気候ストライキ」**を実行しました。

サミットでのグレタさんの訴えは衝撃的でした。「緊急性は理解している」と表向きには言いながら、あなたたちが気候変動対策を怠ってきたせいで、次世代にそのツケが回っているのだと、各国首脳を厳しく糾弾しました。

グレタさんの言動には賛否両論がありま

した。ヨーロッパでは概して好意的な受け止め方が多かったようですが、アメリカや日本では否定的なコメントが少なくありませんでした。

しかし、このところ毎年のようにヨーロッパを襲う熱波を経験すれば、温暖化に対する危機感をもつのは当然のことでしょう。また、日本列島に近づいても台風の勢力が衰えないのは、日本周辺の海水温が高いからです。

二一〇〇年を越えて生きていく若者は、他のどの世代よりも地球環境に大きな危機感を抱いています。グレタさん、あるいは世界の多くの若者の思い詰めたような顔を見ていると、そうなるまでに**温暖化対策を怠ってきた私たち大人の責任**を感じます。

彼らや彼女らが安心して生きていけるかどうかは、これから一〇年、二〇年の私たちの行動にかかっているのです。

オイルショックを乗り越え、日本車が世界を席巻できた教訓を、はたして生かすことができるのか。未来から見たとき、「グレタさんたちの行動が、気候変動問題に対する取り組みに大きな変化をもたらした」と振り返られるように、政府も企業も、一般市民も、将来世代に対する責任をはたすことが求められています。

第二章　ウイルスと現代社会

——人類は感染症を克服できるか？

感染症が人類の歴史を動かしてきた

いまの私たちにとって、気候変動以上に喫緊の問題となっているのが、「**新型コロナウイルス感染症**」です。新型コロナウイルスの流行によって、私たちの生活は突如として大きく変わりました。

会社では、在宅勤務やリモート会議が珍しくなくなりました。いままでわざわざ海外に出張して行っていた商談も、オンラインで済むようになった。大学ではほとんどの講義がオンラインで実施されるようになりました。

こうしたデジタル化の推進は、以前から主張されていたことですが、現実にはなかなか進みませんでした。誰もが当たり前のように会社や学校に通い、リモート会議やリモート講義などをほとんど経験していなかったと思います。それが、新型コロナによって強制的に実現してしまった。

多くの人は、二〇一九年には予想だにしなかった世界に生きていると実感していることでしょう。その意味で、**新型コロナウイルスの感染拡大は、「私たちの未来が現在の延長上にあるものではない」ということを象徴的に示しています。**

新型コロナウイルスがもたらした影響は、働き方や学習環境にとどまるものではありません。場合によっては、このコロナ禍は歴史的な転換点になるかもしれないのです。どういうことでしょうか。シリーズ一冊目となる『おとなの教養』でも書いたように、感染症は人類の歴史を大きく動かしてきました。

たとえば、一四世紀にはヨーロッパでペストが大流行しました。このとき、ヨーロッパだけで当時の人口の三分の一、全世界で約一億人が亡くなったと言われています。あまりに大勢の人が亡くなるものですから、個別の埋葬ができない。結局、集団埋葬というと聞こえはいいけれど、穴を掘って、そこに大勢の遺体を放り込んでいました。

この**ペストによって、ヨーロッパの歴史は大きく変わった**のです。

一四世紀のヨーロッパというと、キリスト教のカトリック教会が絶対的な権威をもち、誰もがカトリックの教えに従っていた時代です。

ところがペストの流行で、神父さんもバタバタと死んでしまう。あるいは、いくら神父さんが祈っても、パンデミックがおさまらない。その結果、カトリックの権威が失墜(しっつい)してしまうことになりました。カトリックの教義に縛られるより、生を謳歌(おうか)しようという機運が高まり、それがルネッサンスの文化を準備していくことになるわけです。

さらに、カトリック教会の権威失墜は、一六世紀に始まる宗教改革を受け入れる素地もつくり出しました。

こうして見ると、ペストの流行は、ヨーロッパ中世の屋台骨であったカトリック教会に大きなダメージを与え、近世、近代を準備する役割をはたしたと言えるでしょう。

戦争とスペイン風邪

約一〇〇年前に流行したスペイン風邪も、歴史を大きく動かしました。

一九一八年から一九年にかけて、スペイン風邪は世界中で大流行したのですが、じつはアメリカで最初に始まりました。ちょうど第一次世界大戦の真っ最中、アメリカは若者をヨーロッパ戦線に送るため、全国各地から彼らを訓練基地に集めました。そこで兵隊としての訓練を施し、船に乗せてフランスに送り込もうとしたのです。

このアメリカの基地に集めている段階で、高熱を発し、咳(せき)をしてくしゃみをする人がいたようです。兵隊ですから、一つ屋根の下で何千人が一緒に生活する。まさに「三密」の状況で、大勢の若者が共同生活することで、あっという間に感染が広がっていきました。

みんなバタバタと倒れるわけですが、なかには元気な者もいますから、彼らを船に乗せてフランスまで送る。すると、船のなかでまた次々に発病し、そこでバタバタと死んでしまいます。遺体は仕方ありませんから、大西洋にそのまま水葬です。そして残った若者をヨーロッパ戦線に送り込む。

送り込んだ途端、今度は同盟軍のフランス、イギリス、さらには敵軍のドイツにも、この病気が一挙に広がっていきました。ですが、戦争中ですから、自国の兵士が風邪でバタバタ倒れているなんてことが相手側に知られたら大変です。すぐに攻め込まれてしまうかもしれない。だからどの国も、いっさい極秘にしたのです。

ところが一国だけこの病気が広がっていることが報道された国がありました。それがスペインです。当時、スペインは中立国だったので、戦争に参加していませんでした。そのスペインで同じように病気が流行(はや)り、しかもスペインの国王も罹(かか)ってしまった。

秘密にする必要がないので、王をはじめ、大勢の人間が大変な風邪に罹っていると報道されたことで、「スペイン風邪」という名前が付いたのです。本当はアメリカから始まったのですから、スペインにとってはまったくの濡れ衣でした。

感染症が第二次世界大戦をも準備した

新型コロナウイルスを考えるうえで示唆的だと思われるのは、**スペイン風邪には第一波、第二波、第三波まであった**ことです。

第一波は感染力は強かったものの、重症化する人は少なかった。春先に第一波が流行し、夏に暑くなったら感染が止まりました。ところが、秋から冬にかけて第二波がやってきます。第二波になると、感染力は第一波ほどではなかったのですが、重症化するケースが増えました。とりわけ、若い人が重症化するようになりました。

これを現代の医学で**「サイトカインストーム」**と言います。若い人は免疫力が強いので、その免疫力でウイルスと戦う。そのときに、免疫が暴走して自分の細胞を傷つけることになってしまうのです（図表2-1）。結果的に、免疫力の高い若い人ほど重症化することになりました。

この第二波によって、第一次世界大戦のヨーロッパ戦線では、若い兵士たちが重症化し

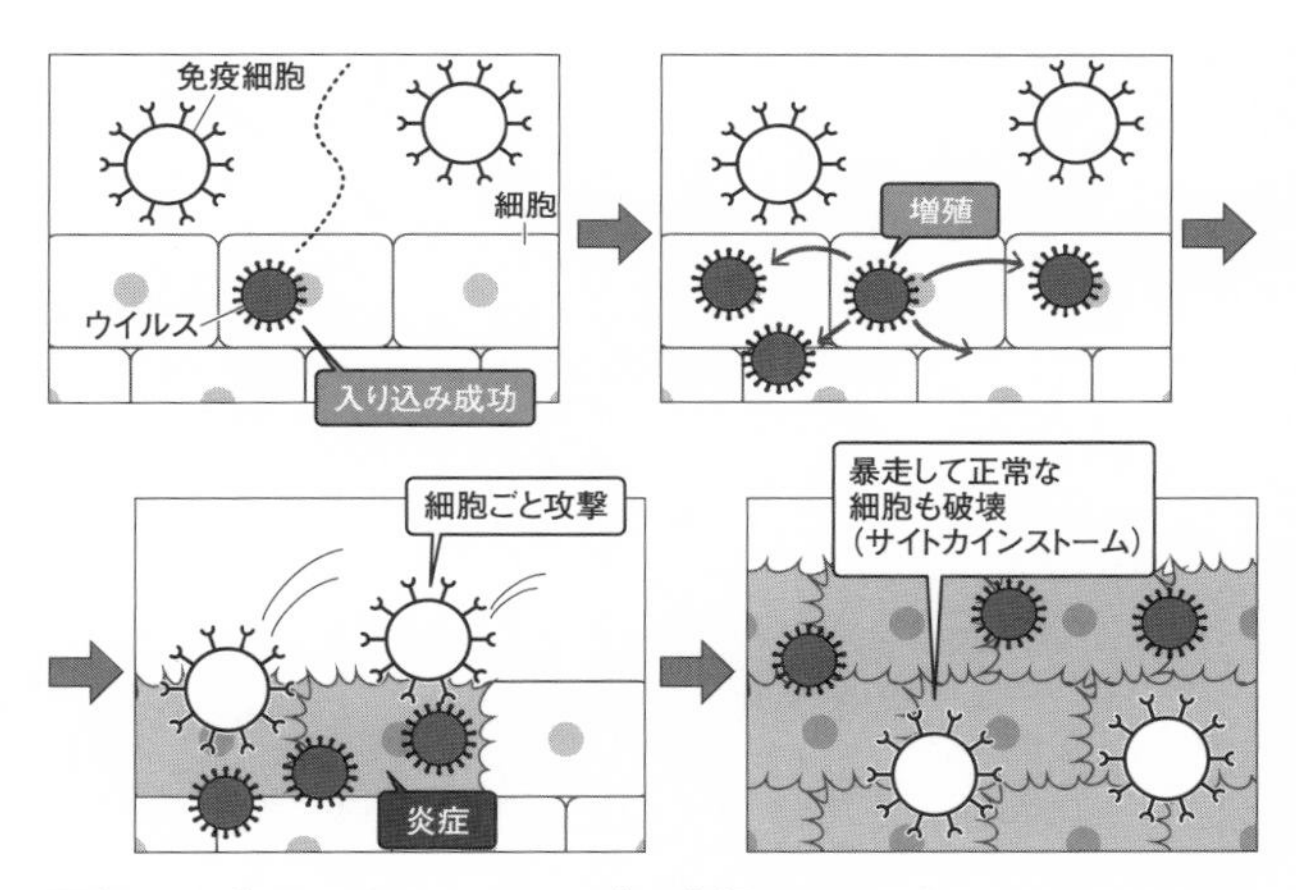

図表2–1　「サイトカインストーム」の仕組み（池上彰『コロナウイルスの終息とは、撲滅ではなく共存』〔SB新書〕をもとに作成）

てどんどん死んでしまいました。そしてその死者数は、実際の戦闘で亡くなった兵士よりもはるかに多かったのです。

世界全体では少なく見積もって四〇〇〇万人、多くて一億人が、このスペイン風邪で死んだと言われています。

日本国内でも、内務省衛生局の資料によると三八万人が死んでいます。ただ、人口経済学者の速水融（はやみあきら）さんが調べたところでは、内務省衛生局のデータには欠落があり、その分を補って考えると四五万人が死んだのではないかということです。

第一次世界大戦の終結にも、スペイン風邪は関係しています。じつは敵味方、みんなスペイン風邪に罹ってバタバタと倒れてしまい、戦争を続けることができなくなってしまったからです。

スペイン風邪の影響は、さらに続きます。

第一次世界大戦が終わると、ドイツの侵略によって大変な損害を被（こうむ）ったフランスは、ドイツに対して多額の賠償金を要求しました。当時、戦後処理にあたっていたアメリカのウィルソン大統領は、ドイツの経済的な負担が大きくなりすぎて政情が不安定になることを懸念し、フランスの要求を拒否しようとしました。

ところが、その交渉の最中にウィルソン大統領がスペイン風邪に感染して寝込んでしまいました。その結果、フランスの無茶な要求を拒否できなかったのです。

その結果、ドイツに対して莫大な戦時賠償金が課せられることになった。ドイツはその賠償金をなんとか払おうと紙幣をどんどん増刷したために、ハイパーインフレになり、大混乱に陥りました。そこにアドルフ・ヒトラーが現れて政権を取り、第二次世界大戦につながっていったわけです。

そこまで考えると、スペイン風邪は第一次世界大戦を終わらせ、第二次世界大戦を準備したという言い方もまたできるかもしれません。ここでも感染症によって、世界の歴史が大きく変わったということです。

人類の進化とウイルスの関わり

中世のペストも近代のスペイン風邪の大流行も、人類と感染症との戦いの歴史の一幕です。

しかし、人類はウイルスを完全に打ち倒すことはできません。「ウィズ・コロナ」という言葉があるように、私たち人類はウイルスと共存しながら生きていくしかないのです。むしろ**生物史あるいは人類史的な観点から見れば、私たち人類はウイルスと共存することで進化してきました**。

たとえば、哺乳類がつくる胎盤は、ウイルス由来の遺伝子によってもたらされたものだと言われています。

あるいは、精子と卵子の合体を考えてみましょう。精子は父親の遺伝子情報をもっているし、卵子は母親の遺伝子情報をもっています。そうすると、父親の遺伝子が卵子に入ってきたとき、卵子にとっては異物ですから拒絶反応が起きてもおかしくありません。
ところが、なぜか、その拒絶反応を止めるような細胞があるのです。これが外部から入ったウイルスによってつくられたのではないかということが、最近の研究でわかってきました。

そうだとすれば、**ウイルスの助けを借りて、いまの私たちがいる**ということになります。

そもそもウイルスは、人類が誕生するずっと前から地球上に存在していました。これらのなかには、かつて大勢の人間を殺したウイルスもいることでしょう。でも全員を殺すと、そのウイルスも存在できなくなります。

だから、どこかで突然変異をして、人間にあまり害を与えなくなったり、人間の体のなかに入って役に立つようになったりするということが起こるのです。

たとえば、二〇一四～一五年に、西アフリカで爆発的に流行したエボラ出血熱も、感染を繰り返していくうちに、死亡率は次第に減っていったと言われています。これも、ウイルスが突然変異を繰り返していくからです。

結局、人類とウイルスは共存せざるを得ないし、共存することによって、私たちは進化すら遂げてきたのです。

新型コロナウイルスの「新型」とは

さあ、いよいよ新型コロナウイルスの説明に入っていきましょう。そもそも新型コロナウイルスとは、どのようなウイルスなのか、あなたは正確に理解しているでしょうか。「新型コロナウイルス」というぐらいですから、通常のコロナウイルスというものが存在します。コロナウイルスは球状で突起がいくつもついていることから、「王冠」を意味するコロナという名前がつきました。

これまでのコロナウイルスは、風邪の原因になる、ごくありふれたウイルスでした。それが今回は変異、つまり性質が変わったために、「新型コロナウイルス」と呼ばれているわけです。

二〇〇〇年代以降に感染拡大した**MERS**や**SARS**も、コロナウイルスの一種が原因です。MERSとは「中東呼吸器症候群（Middle East Respiratory Syndrome）」の略です。二〇一二年に発生が報告されたこの病気のウイルスの宿主（しゅくしゅ）は、中東のラクダだと考えられています。中東のラクダがもっていたウイルスが人間に感染し、それがさらに人間から人間へと感染していったということです。

二〇〇二年に、中国の広東省で患者が報告されたのに端を発し、アジアを中心に三二の国や地域に広がったのが、SARSです。SARSは、日本語では「重症急性呼吸器症候群（Severe Acute Respiratory Syndrome）」と言います。風邪のような症状が急激に悪化することによって大勢の人が亡くなりました。

当時、中国の医療関係者が感染して、香港のホテルに泊まった。その人が押したエレベーターのボタンから次々と感染したと言われています。そして、香港からカナダやオーストラリアまで広がっていきました。

つまり、ごくありふれたコロナウイルスが突然変異を起こし、危険な感染症になってしまったのがMERSやSARSであり、今回の新型コロナウイルスなのです。

ちなみに新型コロナウイルス感染症の正式名称は、「COVID-19」と言います。名付け親は、WHO（世界保健機関）です。COVID-19の「CO」は「corona」、「VI」は「virus」、「D」は「disease」から取っており、それとこの感染症が報告されたのが二〇一九年であることを組み合わせて、名付けられました。

生命を定義する三つの条件

ウイルスについても、基本的な知識を確認しておきましょう。

ウイルスの大きさは、数十ナノメートルから数百ナノメートル。一ナノメートルは一ミリメートルの一〇〇万分の一で、非常に小さいため一般の光学顕微鏡では見えません。一九三〇年代に電子顕微鏡が開発されてから、ようやくその形を捉えることができるようになりました。わかりやすいたとえとして、人間を地球の大きさだとすると、ウイルスはネズミぐらいだと言われます。

このウイルスを、同じく感染症を引き起こして人類を苦しめてきた細菌と比べると、まず大きさが違います。細菌のほうが大きく、ごく大ざっぱにウイルスの一〇倍から一〇〇倍程度あります。こちらは光学顕微鏡でも見ることができます。

違いは、大きさだけではありません。細菌とウイルスには、それ以上に根本的な違いがあり、それは生命の定義と関係しています。

一般に、生き物、つまり生命を定義するには三つの要件が必要だと言われています。

①細胞をもつこと
②外部からエネルギーの元になる栄養を取り込む代謝(たいしゃ)ができること
③自ら増殖すること

この三つが生き物の伝統的な定義とされていて、細菌はこの定義に当てはまります。ところが、ウイルスには細胞膜や細胞壁がありません。もっと言えば、細胞そのものがありません。タンパク質でできた殻(から)のなかに遺伝子が入っているだけです。代謝もしないし、自ら増殖することもしない。伝統的な生物学の立場では、細菌は生き物だけれども、ウイルスは生き物ではないのです。

三つの要件のなかでとくに重要なのは、**ウイルスは自分では増殖できない**ということです。ならばどうやって増えるかというと、ウイルスは生き物の細胞に入り込んで、細胞内で自分のコピー(複製)をたくさんつくらせます。このウイルスの増殖によって生き物の体に異変が起こり、病気になるわけです。

ちなみに、よくウイルスが「死んだ」とか「生きている」とかいう言い方をしますが、伝統的な生物学の立場ではウイルスは生き物ではないわけですから、実際は「死んだ」というのは不活性化、「生きている」は活性化という表現をします。不活性化とは言ってみれば、感染力を失った状態のことです。

ウイルスが増殖すると、感染した細胞は力尽きて死んでしまいます。今回の新型コロナウイルスは、肺の細胞に侵入して次々に死滅させるため、炎症が起きて肺炎になるわけです。

ウイルスが体内に入ると何が起きるのか

いま説明したように、ウイルスは人間の体のなかに侵入し、細胞に入り込んで増殖しようとします。

でも、人間はそう簡単には病気にならないように、ウイルスから体を守る抗体、つまり免疫細胞をもっています。この免疫細胞は異物の侵入に備えて常に体内を動き回っていて、ウイルスを見つけると退治してくれます。免疫細胞は、いわば悪いウイルスを捕まえる警察官のような存在で、この働きによって私たちの体は守られているわけです。

ところが、ウイルスが隙を衝いて細胞に入り込み増殖してしまうと、免疫細胞がウイルスに感染した細胞もろとも壊してしまう。これが炎症の原因です。

免疫の防御反応とも言えますが、これが恐ろしいのは、ウイルスの増殖が進むと免疫細胞が暴走を始め、正常な細胞まで壊してしまうことです。最悪の場合は人の命が危険にさらされます。先ほども述べたサイトカインストームです。

今回の新型コロナウイルスによって肺炎が起きるのも、肺でウイルスが増殖し、過剰な炎症反応が起きるためです。

さらに、ウイルスは増殖しながら**「変異」**をしますが、ウイルスの種類によって変異の起こりやすさは変わってきます。具体的には、こういうことです。

ウイルスには大きく分けて、タンパク質の殻のなかにDNA遺伝子が入っているDNAウイルスと、RNA遺伝子が入っているRNAウイルスの二種類があります（図表2－2）。この二つを比べると、RNAウイルスのほうが変異しやすいことがわかっています。

なぜでしょうか。出版に例えると、記者が書いた原稿には校閲や校正のチェックが入ります。校閲担当の人は、誤字脱字を全部チェックする。それと同じように、ＤＮＡには校正機能があります。

ＤＮＡは二重らせんの形をしていて、増殖したときに片方がちょっと変になると、もう片方がチェックするようになっているのです。このように、ＤＮＡウイルスには自己修復機能があるため、突然変異しにくい。

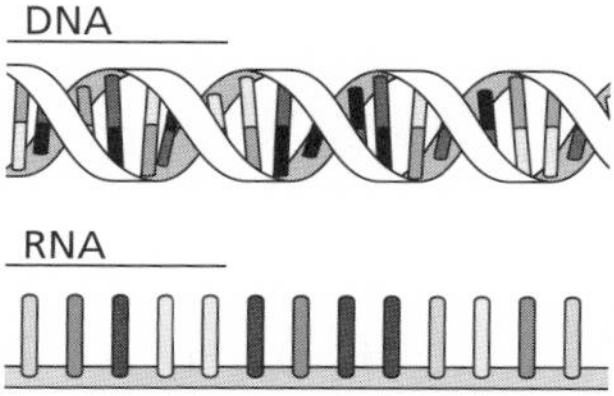

それに対して、ＲＮＡの鎖は一本だけなので、校正機能がありません。だから、変異してもチェック機能が働かず、コピーミスが起きやすい。つまりＤＮＡウイルスに比べて、頻繁に変異しやすいわけです。

たとえば、天然痘ウイルスはＤＮＡウイルスだから、変異しにくい。天然痘をこの世から根絶できたのはそのためです。一方、インフルエンザウイルスやコロナウイルスはＲＮＡウイルスなので、次々にウイルスが変異しやすいのです。

図表2–2　DNAとRNAの模式図

ワクチンはどのように効くのか

先ほど、抗体である免疫細胞は悪いウイルスを捕まえる警察官のような存在だと言いました。インフルエンザなどに感染すると、人間の体のなかに抗体ができて、入ってきた悪者のウイルスと戦うようになります。抗体は戦って、そのウイルスをやっつけることができる。だから、すぐには同じ病気にかからないようになります。

これは、言ってみれば街中に犯罪者の指名手配写真が貼り出されるようなものです。つまり、「こいつを見つけたら捕まえるぞ」が、抗体の働きということになります。

この**抗体の働きを人工的につくり出すのが、ワクチン**です。

ワクチンのなかには、通常、病原体が入っています。ただし、病原体をそのまま使うと病気になってしまうので、あえて病原体の力を弱くしたり、感染する能力を失わせたりしたものを体内に入れる。これがワクチンを接種するということです。

ワクチン接種によってあらかじめ病原体を体内に入れておくと、免疫ができて感染を予防することができます。つまり、ワクチンを接種することで、悪さをするウイルスはこれだ、という指名手配書のようなものを体内に入れるのです。すると、警察官役の免疫細胞はそのウイルスの顔をしっかりと覚え、ウイルスが体内で悪さをする前に捕まえてくれます。

そのため、たとえばインフルエンザワクチンをつくる場合、初めに行われるのは、そのウイルスの培養です。この培養にはニワトリの卵を使います。ウイルスは生きた細胞の中でしか増えないという特徴があるため、有精卵を使って培養し、そのあとで毒性を除去するというのが基本的な工程になります。

だから、手間がかかって時間がかかる。また、そうやってワクチンをつくっても、その効果は一〇〇%ではありません。インフルエンザワクチンの場合、低いものは五〇%ぐらい、高くても七〇%くらいしか効果がないと言われています。ですから、インフルエンザのワクチンを打っても、感染してしまう人がいるわけです。

新しいワクチンの画期的な製造法

ワクチンは通常、開発を始めてから完成に至るまでに長い年月が必要とされます。それはヒトへの安全性や有効性を試す臨床試験に時間がかかるためです。

基礎研究と動物実験から始まり、承認されて完成するまでには、平均一〇年から一五年かかると言われています。

しかし、新型コロナウイルスに対しては、世界各国が驚異的なスピードでワクチン開発に成功しました。なぜ、そんなに早く開発できたのでしょうか。

じつは、いま出回っている新型コロナウイルスのワクチンは、これまでとまったく違う方法でつくられているのです。このうちアメリカのファイザー社とモデルナ社の例で見てみましょう。

製薬企業は、新型コロナウイルスの遺伝子情報をもっています。この遺伝子情報を細かく調べると、ウイルスが人間の細胞に入り込むために必要な部分をつくらせるタンパク質の遺伝子配列がわかります。

そして、ここがポイントですが、新しいワクチンは、その部分の遺伝子情報だけでつくられているのです。あくまでそれは、人間の細胞に入り込むために必要な部分をつくらせるための情報ですから、体内に入ってもウイルスそのものと違って悪さをするわけではありません。

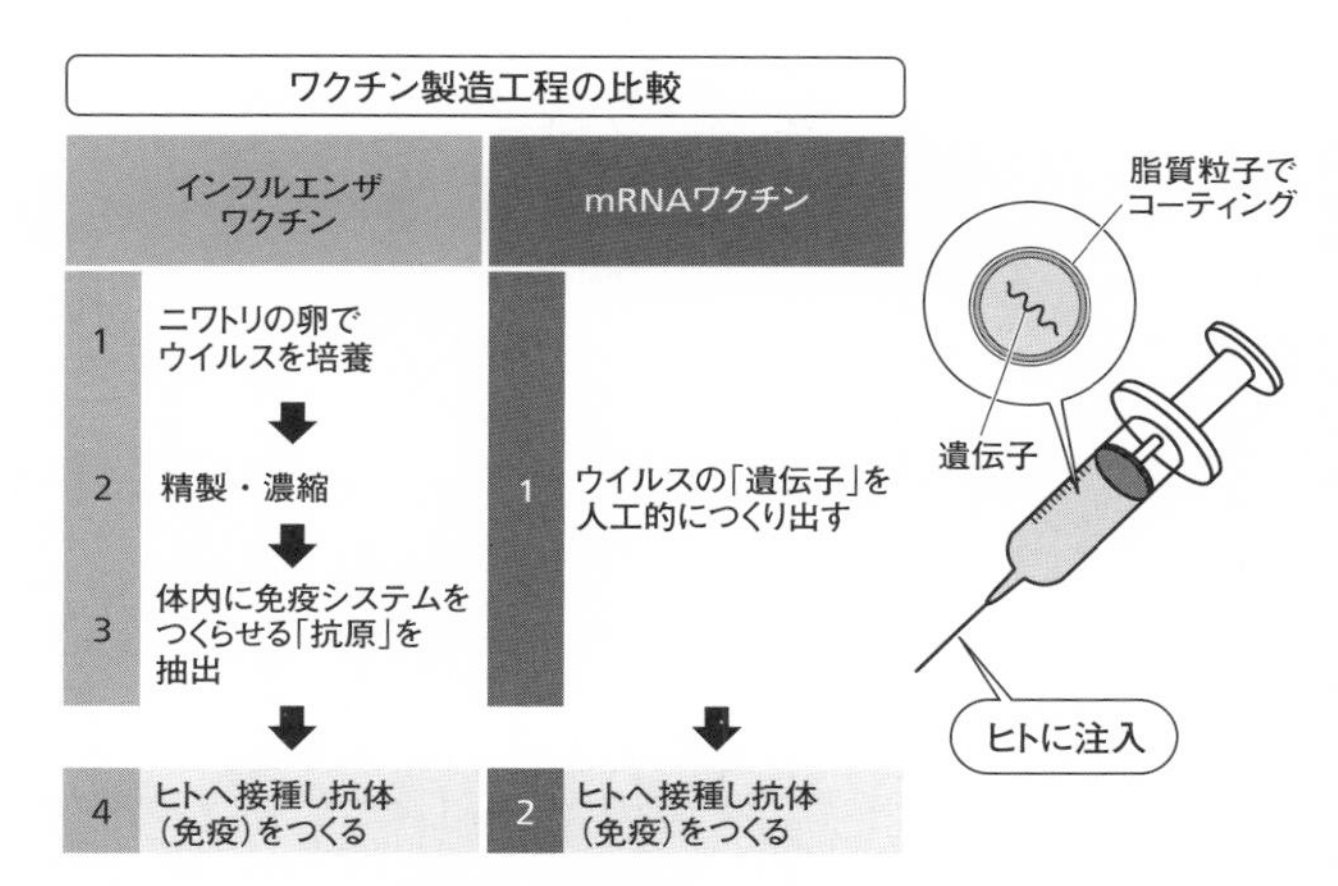

図表2–3　ワクチン製造工程の比較（池上彰『コロナウイルスの終息とは、撲滅ではなく共存』〔SB新書〕をもとに改変）

では何が起きるかというと、人間の細胞に入り込むために必要な部分だけがつくられる。そうすると、それに反応して、体内に抗体ができます。言ってみれば、外側だけがそっくりのニセウイルスを体内に入れることで、抗体づくりを誘導するのです。

この新しいタイプのワクチンは、「mRNAワクチン」と呼ばれ、従来のワクチンのようにもともとのウイルスを培養する必要がありません。ニセウイルスを人工的につくり出すだけなので、製造工程を劇的に短縮することができるのです（図表2–3）。

「九五%の有効性」とはどういう意味か

ワクチン開発の最終段階では、実際の人間の協力を得て、ワクチンの効果や安全性を調べることが必要になります。これを「**治験**（ちけん）」と言います。

二〇二〇年一一月、製薬会社のファイザーが開発したワクチン候補が、治験によって九五%の有効性を示したというニュースが報じられました。この「九五%の有効性」とはどういう意味でしょうか。

ファイザーは、四万三六六一人の協力を得て、治験を実施しました。具体的には、協力者を半分に分けて、半数には本物のワクチン候補を打ち、半数には単なる生理食塩水をプラセボ（偽薬）として打ち、その結果を比べて、ワクチンの効果を測定するわけです。

もちろん協力者は、どちらを打たれているのかはわかりません。注射を打たれる段階では、みんな「これは本物のワクチンだ」と思っています。

これは、ワクチンの効果を科学的に測定するために必要なことです。人間は不思議なもので、薬でないものでも、「これは薬だ」と思って服用すると、病状が改善することがあります。これを「**プラセボ効果**」と言います。

薬だと思うかどうかが、結果に影響を与えてしまうことがあるわけです。そこで治験では、条件を揃えるために、本物のワクチンと、本物のワクチンと偽ったブラセボの生理食塩水を半数ずつに注射するのです。

ファイザーの治験では、本物のワクチンを打ったグループは八人が感染したのに対して、ブラセボを打ったグループは一六二人が感染しました。ということは、もしブラセボのグループに、本物のワクチンを打っていたら、一六二マイナス八で一五四人が感染しなかったと推測できます。したがって、一五四÷一六二＝約〇・九五という計算から、およそ九五％の効果が見られたということになります。

じつはファイザーやモデルナなど、ワクチンを開発した製薬会社は現在も治験を継続しています。というのも、治験には本来、長期的な予防効果や安全性を確認することも含まれるからです。

しかし、世界的に感染が拡大している状況では、一刻も早くワクチンを供給しなければなりません。そこで各国は緊急使用を認め、ワクチンの接種を開始したわけです。

問題は、開発されたワクチンを接種して副作用が出ないかどうかということです。正確に言うと、医学の世界では「副作用」とは言わず「**副反応**」と言います。

過去に、アメリカで新型インフルエンザの感染が広がったとき、大急ぎでワクチンを開発し、国民への接種を始めたら、ギラン・バレー症候群という神経系の副反応が出たことが問題になりました。ワクチンの開発には、そうしたリスクが隣り合わせであるのも事実です。

ただ、先のファイザーの治験では、二回目のワクチン接種後に、疲労感を訴えた人が三・八%、頭痛を訴えた人が二%いたと報告されていますが、それ以上に重症化したケースは見られませんでした。

すでに述べたようにワクチンの効果は一〇〇%ではありません。また、重症化には至らないとはいえ、副反応は出ています。そういった有効性やリスクを知ったうえで、私たち一人ひとりがワクチン接種をするかどうかを判断することが大切です。

感染防止と人権のバランス

ワクチンが開発されたことで、しばらく時間はかかるでしょうが、新型コロナウイルスを収束させる目処（めど）がついてきました。従来の方法によらない、新しいワクチンの製造技術が開発されたことも画期的です。

しかし、これで新型コロナウイルスの感染は封じ込めることはできたとしても、感染症やウイルスが消えてなくなるわけではありません。もしかすると、新型コロナウイルスよりも感染力が強く、致死率が高い感染症に再び襲われるかもしれない。

だとすれば、**今回の経験を糧（かて）にして、私たちは新しい感染症の発生を想定して、ワクチンだけでなく、さまざまな対策を考えていく必要があるでしょう**。はたして、政府や企業、個々人がどのような準備をしておけばいいのか。未知の感染症の被害をできるだけ最小限に抑えるためには、想像力を働かせて、いまから備えておくことが重要です。

たとえば、今回の新型コロナウイルスは私たちに一つの大きな課題を突きつけました。それは、**民主的な社会がどのように感染症を封じ込めればいいのか**、という課題です。

世界各国の新型コロナウイルス対策を比べたとき、中国はいち早く封じ込めることに成功し、経済を回復させています。新型コロナのためにすっかり弱ってしまったヨーロッパ企業を、中国の企業が買収するということも起こっています。

中国が早期に新型コロナウイルスを封じ込めることができたのは、事実上の一党独裁で、国民の権利や人権を一切無視した対策を実行できるからでしょう。人々の行動をスマートフォンや携帯端末を通じて、逐一監視することもできる。率直に言って、パンデミックのときは、**独裁的な国家体制のほうが有効な対策を講じやすい**のです。

それに対して、欧米や日本のような民主主義国家は、できるかぎり人権を尊重しながら、感染拡大を防がねばなりません。そして結果を見れば、欧米も日本も中国に比べて、感染拡大を防ぐことに成功しているとは言えません。その意味で、民主主義国家は、**感染防止と人権のバランスをどのようにとるのかという難問**を抱え込むことになりました。

メルケル首相が約束した説明責任

この問題に対して、真摯な言葉で国民に語りかけた、ある民主主義国家のリーダーがいます。ドイツのメルケル首相です。

二〇二〇年三月、新型コロナウイルスの感染拡大を抑えるためのロックダウンをするにあたり、メルケル首相は国民に向けて演説をしました。その一部を紹介しましょう。

次の点はしかしぜひお伝えしたい。こうした制約は、渡航や移動の自由が苦難の末に勝ち取られた権利であるという経験をしてきた私のような人間にとり、絶対的な必要性がなければ正当化し得ないものなのです。民主主義においては、決して安易に決めてはならず、決めるのであればあくまでも一時的なものにとどめるべきです。しかし今は、命を救うためには避けられないことなのです。（ドイツ連邦共和国大使館総領事館「新型コロナウイルス感染症対策に関するメルケル首相のテレビ演説」二〇二〇年三月一八日）

メルケル首相は、東西冷戦でドイツが分裂していた時代に、東ドイツで育ちました。だから、移動の自由が制限された暮らしをしたことがあります。それだけに民主主義や自由というものの大切さを身にしみてわかっています。そして今回、その民主主義社会で、移動の自由を制限するのは、「命を救うため」であるとはっきりと語っています。

加えて、この演説では、政策決定過程は透明にして、「できるだけ説得力ある形でその根拠を説明し、発信し、理解してもらえるようにする」「新たな手段をとる場合には、その都度説明を行っていきます」（同前）と、国民に対して説明する責任が政府にあることを強調している点も重要です。

翻って、日本はどうでしょうか。

たとえば給付金に関して、当初は、収入が減った世帯に対して三〇万円の支給をする対策が発表されました。それが、全国民に一律一〇万円を支給すると、あっという間に変更されてしまいました。そこに明確な説明はありませんでした。じつは公明党の支持団体の創価学会が一〇万円の支給を求めたことから、公明党が安倍政権に働きかけて実現したのです。

両者を比べると、所得が減った世帯への三〇万円の給付は、社会保障の側面が強いものです。対して、一律一〇万円は景気対策に近い。それなら、そうとアナウンスすべきですが、「世帯への三〇万円の給付はわかりにくいので、個人に一〇万円配ることにしました」程度の説明しかありませんでした。これでは、政策の意図は伝わりません。

あるいは、二〇二一年一月の緊急事態宣言では、学校の一斉休校は要請されませんでした。これも本来は、二〇二〇年のうちに、安倍総理が二月に要請した一斉休校に効果があったかどうかを検証しておき、「あのときの一斉休校の効果を検証した結果、じつは効果の薄い要請だったことがわかったので、今回はやりません」というように説明すれば、国民の納得感も高まったはずです。

台湾から日本が学ぶべきこと

民主主義国家が感染拡大防止のようなときに人権を制限する場合、説明責任や検証とともに大事なのが政府への信頼です。

先の演説でメルケル首相は、医療従事者への感謝とともに、スーパーのレジ係や商品棚の補充担当として働いている人たちへの感謝も述べました。

こういった言葉を聞けば、新型コロナウイルスの感染が広がるなかでも生活が成り立っているのは、そうした仕事を続けてくれる人たちがいるからだということに、多くの人が気づかされます。きっと、スーパーで働く人たちは首相演説を聞いて、政府への信頼を強めたことでしょう。

民主主義という点では、ウイルス封じ込めに成功している台湾の取り組みも参考になります。

台湾では、濃厚接触をした人物に、スマートフォンを配り、その行動を追跡するという監視措置をとっています。この監視は罰則つきの厳しいものです。多くの民主主義国家では、個人情報保護の観点からここまで強い措置をとることはできません。

しかし、台湾で行われた監視措置に、国民から強い反対は起きませんでした。それは、台湾の人々が政府の対策に強い信頼を寄せているからです。

台湾の封じ込め成功の裏には、「鉄人」と呼ばれる指揮官の存在がありました。台湾の新型コロナ対策の第一線で活躍しているのが、対策本部「中央感染症指揮センター」です。このセンターは、「疾病管制署」という感染症に対応する専門機関の職員を中心に構成され、二〇二〇年一月にすぐ立ち上げられました。

この対策本部のトップを務めた陳時中(ちんじちゅう)さんは、毎日記者会見を行い、それこそ不眠不休で対応にあたったことから、台湾で「鉄人大臣」と呼ばれるようになり、市民から絶大な支持を得ています。

マスクへの対応も日本とは大違いです。台湾が導入したのは、保険証のＩＤ番号でマスクの購入履歴を管理する実名購入制です。

マスク対策と言えば、日本でもすっかり有名になったデジタル担当大臣、オードリー・タン氏が大活躍しました。天才プログラマーとして知られるオードリー氏が開発の陣頭指揮をとったアプリやシステムが、市民にマスクを均等に配布することを可能にしたのです。陳時中さんやオードリー・タン氏のような専門家の活躍は、当然、政府に対する信頼感にもつながります。一時的に人権を制限する対策を行っても、市民は政府を信頼して協力行動に出られるのです。

この国民からの信頼という点でも、日本はドイツや台湾とは対照的です。

新型コロナウイルス対策を担当している西村康稔（やすとし）経済再生担当大臣は、都内のスーパーマーケットにＳＰを連れて視察に行きました。いつも自分で買い物をしていれば、「視察」は必要なかったはずですが。

それ以上に問題なのは、専門家会議の議事録がつくられていないことです。専門家会議は公文書管理のガイドラインが定める「政策の決定または了解を行わない会議等」だから、議事録を作成する必要がないという理屈ですが、明らかに責任逃れが透けて見えます。これでは、国民からの信頼を得ることなど到底できません。

繰り返しになりますが、**近い将来、いつ新たな感染症が襲ってきてもおかしくありません。**そのとき、ウイルスや感染症に対する科学的な知識をもっていることも大事ですが、被害を徒(いたず)らに拡大させず、適切に封じ込められるかどうかは、過去の感染症の歴史や今回の経験を未来に生かせるかどうかにかかっています。

台湾は、過去にＳＡＲＳが流行した際に失敗した経験を糧にして、今回、迅速な対策を行うことができました。新たな感染症の危機が訪れたとき、日本もまた今回の失敗から多くを学ぶことができれば、しっかりとした対策を取ることができるはずです。

第三章　データ経済とＤＸ（デジタル・トランスフォーメーション）

——生活や仕事はどう変わるのか？

「石油の世紀」から「データの世紀」へ

「気候変動」「ウイルス」と取り上げてきました。次のテーマは「**経済の未来**」です。私たちは経済活動を抜きに生きていくことはできません。そして現代の経済は、いまや巨大ＩＴ企業を抜きに語ることはできないのです。

それを如実に示すのが、時価総額のランキングの変化です。

時価総額とは、ある時点での株価と発行した株式の数を掛け合わせた数字のことです。株価には、企業の実力や将来への期待が織り込まれています。ですから、時価総額が大きいほど、その企業は将来に向けて大きな実力があると、市場から認められていることになります。

この時価総額の世界ランキングの変化を見ると、それぞれの時代にどういう企業が実力をもっていたのかがわかります（図表３−１）。平成が始まった一九八九年のトップはＮＴＴで、トップ一〇社のうち八社を日本企業が占めていました。その多くは銀行です。日本のバブルが弾けてからは、アメリカの銀行や石油企業がトップテンの常連となりました。

しかし二〇一〇年代に入って様相は一変します。いまやトップテンを、アップルやアマ

順位	企業名	時価総額（兆円）
1	NTT	24.4
2	住友銀行（現三井住友銀行）	10.1
3	日本興業銀行（現みずほ銀行）	9.8
4	第一勧業銀行（現みずほ銀行）	9.2
5	富士銀行（現みずほ銀行）	9.1
6	IBM	8.7
7	三菱銀行（現三菱 UFJ 銀行）	8.3
8	エクソン（現エクソンモービル）	8
9	東京電力	8
10	三和銀行（現三菱 UFJ 銀行）	7.2
11	トヨタ自動車	7.1

平成元年（1989）

順位	企業名		時価総額（兆円）
1	マイクロソフト	米国	100.3
2	アップル	米国	99.3
3	アマゾン・ドット・コム	米国	97
4	アルファベット（グーグルの親会社）	米国	90.6
5	バークシャー・ハザウェイ（投資会社）	米国	54.8
6	フェイスブック	米国	52.7
7	アリババ集団（インターネット通販）	中国	52.3
8	騰訊（テンセント・SNSサービス）	中国	48.5
9	ジョンソン・エンド・ジョンソン	米国	41.3
10	エクソンモービル	米国	37.9
⋮			
42	トヨタ自動車	日本	21.2

平成31年（2019）

図表3–1　世界時価総額上位企業の変化（「読売新聞」2019年4月27日付をもとに作成）

ゾンのような巨大ＩＴ企業がほとんど独占するようになったのです。

二〇世紀と二一世紀を比べて、**「石油の世紀」から「データの世紀」**へ変化したという言葉もよく耳にします。

二〇世紀は、化石燃料が経済的価値を生み出す原動力でした。産業革命以降、人類は石炭や石油などの化石燃料を使って、大量生産と大量消費の社会を築き上げました。石油がなければ、産業を発展させることができなかった。だからこそ、「石油メジャー」と呼ばれる巨大石油企業が、産業界に大きな影響を及ぼしてきたのです。

しかし二一世紀に入って、IT（情報技術）革命が起こったことで、産業構造は大きく変わり、データが石油に代わって経済的価値を生み出す資源になりました。それが「データの世紀」という言葉が意味していることです。

プラットフォーム・ビジネスの特性

「データの世紀」となった現代世界で、圧倒的な力をもっているのが、グーグル（Google）、アップル（Apple）、フェイスブック（Facebook）、アマゾン（Amazon）という四つの企業です。この四社は、それぞれの頭文字をとって「GAFA」と呼ばれています。

これら四社の製品やサービスが、現代の私たちの暮らしにとって、もはやなくてはならないものになっていることは、あなたも実感していることでしょう。

インターネットで何か調べたいことがあれば、グーグルで検索する。買い物をしたいときはアマゾンで注文する。フェイスブック上で、友だちや知り合いとコミュニケーションをする。アップルのiPhoneやグーグルのアンドロイド端末があれば、これらすべてをスマートフォンで行うことができます。

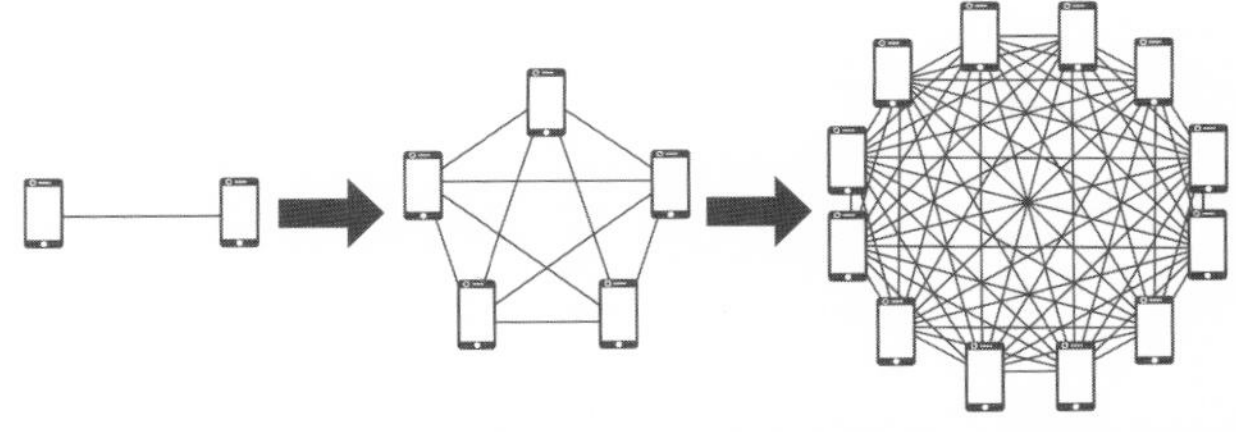

図表3–2　「ネットワーク効果」により、参加者が増えるほど利便性が高まる

このＧＡＦＡに共通しているのは、彼らが**「プラットフォーマー」**だということです。プラットフォームとは、土台や基盤という意味です。つまりＧＡＦＡは、大勢の人が利用するインターネット上の土台をつくっている。ですから、ネット上で何かをする場合には、必ずＧＡＦＡの提供するプラットフォームを利用しなくてはなりません。

プラットフォームは、そこに参加する人が増えれば増えるほど価値が高まるという特徴があります。経済学では、この特徴は**「ネットワーク効果」**、または**「ネットワーク外部性」**と言います（図表３–２）。

グーグル検索がその典型です。グーグルでキーワードを入力すると、キーワードが文中に入っているウェブサイトの一覧がズラリと表示されます。と同時に、そのキーワードに関連する広告も表示されます。たとえば「英会話」をキーワード検索すると、検索結果のウェブサイトのトップに英会話学校の広告が表示されます。

この広告は、グーグルで検索する人が多ければ多いほど価値が高まります。それだけ「英会話」と検索する人の数も増えるからです。そうなれば、「英会話」というキーワードに連動する広告を出したい企業が大勢出てくることでしょう。競争は激烈になっていきます。そこで導入されているのが **「オークション方式」** です。

広告を出したい企業は、グーグルにキーワードを登録しますが、人気のキーワードであれば、登録希望者は大勢いますから、先頭に割り込むのは至難の業（わざ）です。

そこで、その場合は高い広告料を払うと申請した企業のほうが、優先順位が高くなるという仕組みです。より高い広告料を払えば、検索結果の最初のページに広告が掲載される。効果はてきめんです。かくして、巨額の広告料がグーグルに流れ込むことになったのです。

なぜ使う人間が多いほどサービスの質が高まるのか

ネット上のプラットフォームには、もう一つ大きな特徴があります。それは、**私たちがGAFAのサービスを使うと、その結果が自動的にデータとして回収されるということです。**

たとえば、あなたが渋谷駅で降りて目的地までの道順をグーグルマップで検索したとします。このとき、あなたは自分がどこにいるかという位置情報をグーグルに伝えているわけです。フェイスブックでは、投稿した文章や画像、何に「いいね！」を押したかといったこともすべてデータとして吸い上げられます。そういったデータをもとにして、フェイスブックは個人が興味をもちそうな広告を出しているのです。

私たちはそうやって、GAFAのサービスを使いながら、せっせせっせとデータを生み出しています。そしてそのデータが、GAFAにとってはビジネスの重要な資源になっているわけです。

GAFAにかぎらず、いまや**データをどれだけ獲得し、どのように活用するかが、ビジネスで成功する大きな要因**になっています。

「ビッグデータ」と呼ばれる膨大なデータを集めることができれば、人工知能（AI）を使ってそれらを分析することで、人間が気づかないような予測をすることが可能になります。しかも、これまでの経済とは違って、何百万人、何千万人という数のユーザーに対して、個別的なサービスを提供できるのです。

個別的とはどういうことでしょうか。これまでの経済では、大勢の人間を相手にする場合、どうしても規格化した商品やサービスしか届けることができませんでした。何百万、何千万という人間一人ひとりにピッタリくるような商品をつくっていたら、天文学的なコストが発生してしまいます。

たとえば、洋服メーカーがお客さん全員にオーダーメイドの服をつくっていたら、いくら時間があっても足りません。人件費も膨大です。どうしてもオーダーメイドの服をつくりたい人は、専門店に行き、高い料金を払って、職人さんにつくってもらうことになるわけです。

したがって、たくさんのお客さんを相手にするほど、大量生産・大量販売になるのは当然のことでした。

ところが、GAFAのような**プラットフォーマーのビジネスは、まったく逆の理屈で動いています**。つまり、大勢が使えば使うほど、正確な個別化ができるようになります。むしろ利用者が少なすぎると、個別化できないのです。

わかりやすい例は、アマゾンのオススメ機能です。アマゾンのトップページには、利用者の購入履歴にもとづいたオススメ商品が出てきます。これは、その利用者と同じような購入傾向をもつ人たちが買ったり、チェックしたりした商品がオススメ商品として表示されています。

でも、仮にアマゾンを利用する人が少なければ、同じような購入傾向をもつ人も見つからないので、オススメしようにもできません。利用する人が多ければ多いほど、同じような購入傾向の人のデータがたくさん集まるので、オススメ機能の精度も高まっていくわけです。

DXとは何か

それなら、この世界のあらゆる事物をデータにして活用すれば、もっと便利で効率的な世の中になるんじゃないか。そういう発想から近年、急速に使われるようになった言葉が「デジタル・トランスフォーメーション（DX）」です。

なぜ、デジタル・トランスフォーメーションを「DX」と表記するのでしょうか。これは、「トランスフォーメーション」の「トランス（trans）」には交差するという意味があることから、transを「X」と省略して使う慣習があるためです。

DXは、もともと、二〇〇四年にスウェーデンのウメオ大学教授であるエリック・ストルターマン氏が提唱した言葉です。ストルターマン教授は、DXを「デジタル技術が、生活のあらゆる面に作用し影響を与える変化」と定義しています。

生活のあらゆる面がデジタル化すれば、それらをデータとして集め、活用することができます。そして先ほど説明したように、**デジタルの世界は、データが集まれば集まるほど、きめ細かいサービスが提供できるようになる。**DXは、それを労働も含めた生活全体に広げていきましょうということです。

ただ、このように説明すると、いままでの「IT革命」や「IT化」とあまり変わらない感じがしませんか? IT革命やIT化だって、革新的な情報技術が普及することで、政治や経済のあり方、生活スタイルなどが一変することを意味していました。

はたして、一九九〇年代後半から言われるようになったIT革命とDXは何が違うのでしょうか。

その違いの一つは、移動通信システム(モバイル通信)の通信能力が桁外(けたはず)れに上がったことにあります。二〇二〇年三月から、日本でも**「5G（第五世代移動通信システム）」**のサービスが始まりました。それ以降に発売されたスマートフォンも、5G対応機種に様変わりしています。

では、4Gと5Gでは何が違うのか。「G」というのは、generation（世代）の頭文字ですから、移動通信システムの歴史を振り返りながら見てみましょう。

まず、1G（第一世代移動通信システム）。一九八〇年代のバブル時代、肩から下げるショルダー型の移動電話がありました。車に設置された自動車電話も1Gです。基地局のカバーエリアが二キロから三キロあったので、自動車で走りながらでも十分に通話が可能でした。

2G（第二世代）は、アナログ回線からデジタル回線へ移行したことが大きな変化です。一九九〇年代前半から普及が始まり、メールやネットが使えるようになりました。

3G（第三世代）は、より高速なデータ通信を実現し、二〇〇〇年代後半には携帯電話からスマートフォンへのシフトが始まりました。

4G（第四世代）になると、通信速度がいっそう速くなり、スマートフォンでもパソコン並みに快適に動画も楽しめるようになりました。二〇一〇年代がここにあたります。

そして迎えた新世代の「5G」はどんな特徴があるのでしょう。一つ目のキーワードは**「高速大容量」**です。通信速度が劇的に速くなり、二時間の映画をわずか三秒でダウンロードできると言われています。

二つ目のキーワードは**「低遅延」**です。NTTドコモが歌手グループPerfumeとコラボレーションして、5Gの低遅延の魅力をアピールしたことがあります。三人のメンバーがニューヨーク、ロンドン、東京の三ヶ所に分かれてパフォーマンスを披露するのですが、同じ曲で踊っている映像に、ほとんど遅延はありません。

海外からのテレビ中継などを見ていると、会話にズレが生じることがありますが、5Gではタイムラグが〇・〇〇一秒だそうです。中継も通信衛星を使うと何秒かディレイ（遅れ）が生じるのですが、インターネット回線を使うとディレイがなくなるのです。

つまり、ほぼタイムラグなく遠くまで情報を伝えられるということ。これを活用すれば「自動運転」「遠隔医療」などが可能になります。

二〇一九年二月、スペインの医師らが5Gによる手術の遠隔指示に世界で初めて成功しました。専門医が不足する過疎地でも、指示を受けながら手術ができるので地方活性化につながるかもしれません。

三つ目のキーワードが「**多接続**」です。「**IoT:Internet of Things（モノのインターネット）**」という言葉を聞いたことがあるかもしれません。スマートフォンだけではなく、あらゆるモノがネットにつながることを指します。

5G規格ではIoTでの利用を想定して、一平方キロメートル当たり一〇〇万台の端末を同時に接続できます。つまり家電も車も、自宅や職場にいながら思うがままに遠隔操作ができるわけです。

いま説明したように、4Gから5Gへと変わると、個人がスマートフォンなどで大容量のコンテンツを楽しめるだけではなく、家電だろうが車両だろうが工場の機械設備だろうが、同時に接続して操作できるようになります。

したがって、そこから得られるデータもこれまでより格段に増大するでしょう。それは、GAFAが築いてきたデータ経済がいっそう加速することを意味するのです。

日本はＤＸ後進国

さあ、では日本のＤＸはどのくらい進んでいるのでしょうか。残念ながら、世界的に見て、日本がＤＸ後進国であることは否定できません。

それがはっきりと表れたのが、「特別定額給付金」のオンライン申請です。コロナ禍のなかで、生活支援や景気対策のために国民に一人一〇万円の現金を支給する特別定額給付金は、当初、マイナンバーカードを使ってオンライン申請をすれば、迅速に振り込まれるという触れ込みでした。

ところが蓋（ふた）を開けてみれば、自治体ではオンライン申請を一度、紙に印刷し、それを住民基本台帳とつき合わせるという膨大な作業が発生しました。その結果、作業が間に合わず、オンライン申請を休止する自治体が次々と出てくる始末です。これではＤＸどころか、郵送だけの申請に統一したほうがまだましでした。

一方、海外で個人に給付金を支給した国の多くは、個人番号のシステムを使って、短期間のうちに申請から振り込みまでを完了させています。つまり、日本は海外に比べて、行政のＤＸ化という点でははるかに遅れをとっているのです。

海外の個人番号システムと比べたとき、マイナンバーカードを使ったオンライン申請が失敗した根本的な原因ははっきりしています。それは、マイナンバーには、銀行口座が紐付いていないことです。

欧米や韓国などでは、個人番号と銀行口座が紐付いているので、現金給付の決定から支給まで二週間程度しかかかりませんでした。しかし日本のマイナンバーは、銀行口座と紐付いていません。そのため、申請する際に銀行口座情報と、それを確認するための通帳やキャッシュカードの画像をアップロードすることが求められました。

自治体はそれらをつき合わせて、申請されている口座情報が正しいかどうかを確認する。それだけでも大変な手間になります。

今回の反省から、政府はマイナンバー制度の活用を積極的に推し進めようとしています。二〇二一年二月の国会では、本人の同意を前提に、マイナンバーと銀行口座を紐付ける「預貯金口座登録法案」の審議に入りました。当初、マイナンバーと預貯金口座の紐付けを義務化することを目指していましたが、「所得や資産を把握されてしまうのではないか」という懸念の声があったことから、任意での紐付けとなったのです。

システムは使われなければ意味がない

特別定額給付金の支給にかぎらず、一連のコロナ対応を見ると、「行政のデジタル化がもっと進んでいれば」と思わされる場面が数多くありました。

たとえば、新規感染者の集計作業です。新型コロナウイルスの感染が広がり始めた時期は、新規感染者の集計にはもっぱらＦＡＸが使われていました。

医師は、新型コロナウイルスの感染者だと判明すると、「新型コロナウイルス感染症発生届」という用紙に必要事項を記入し、ＦＡＸで最寄りの保健所に届け出ます。保健所はそれをチェックして、やはりＦＡＸで自治体に送るわけです。

政府は、二〇二〇年五月に、医療機関が感染者の発生届をオンラインで入力できるシステムをつくりました。このシステムを使えば、わざわざ紙に記入する必要はなくなるはずでした。ところが、感染者の多い自治体では入力作業に負担がかかってしまうため、なかなか普及が進まなかった。その結果、コロナの第三波がやってきた時期でもまだ、ＦＡＸで集計している自治体もありました。

新システムは、個々の医療機関が入力すれば、それを同時に保健所や自治体、厚生労働省が共有できることを目的につくられたものです。それが実現できれば、国が各自治体の新規感染者数や重症者数などを、まとめて把握することもできます。

しかし運用を始めてから半年以上が経っても、なかなか活用が広がらない。その結果、いまだに新規感染者数などの情報は、自治体単位で集計されており、個々の自治体が発表するまで、国全体の状況は把握できない状態になっています。

いくら**デジタルのシステムを開発しても、そのシステムが現場で使われなければ、デジタル化は進んでいきません。**この一例だけでも、日本のＤＸが前途多難であることがおわかりでしょう。

ケンブリッジ・アナリティカ事件の衝撃

コロナ対応の手痛い失敗も影響しているのでしょう。菅(すが)政権の誕生を機に、日本政府もようやく重い腰をあげて、デジタル改革に積極的に取り組むようになりました。その成果は未知数ですが、多くの大企業は先駆けてＤＸを推進しています。今後、私たちの日常生活がますますデジタル化していくことは間違いありません。

デジタル化を上手に活用すれば、社会の非効率なシステムが改善されていくことはたしかです。しかし、はたしてデジタル化を手放しで歓迎していいのかどうか。というのも、**デジタル化には「データの悪用」という問題が常につきまとっている**からです。

その恐ろしい例が、二〇一六年のアメリカ大統領選挙で起こった「**ケンブリッジ・アナリティカ事件**」です。

ケンブリッジ・アナリティカとは、政治マーケティングや選挙コンサルタントを行う会社です。ケンブリッジ大学とは無関係です。イメージを借用して、この名前にしました。同社が、フェイスブック利用者の個人情報を取得し、選挙マーケティングに活用したことが二〇一八年になって発覚しました。入手した個人データは八七〇〇万人分にものぼります。

フェイスブックの利用者は、他の人の投稿やリンクを張ったニュースに「いいね！」をクリックします。その行動履歴を分析すれば、ライフスタイルや性格、思考の傾向、価値観などがわかります。たとえば、ある人の行動履歴を見れば、保守的な考え方なのか、リベラルなのかといったこともＡＩで分析できるわけです。

その莫大なデータにもとづいて、ケンブリッジ・アナリティカは有権者の特性に合わせた政治広告を出し、トランプに投票するように誘導しました。

たとえば、ある人物について、中南米から不法移民が入ってくることによって、アメリカの治安が悪化するんじゃないかと心配をして、そういうウェブサイトばかりを見ているということがわかったとします。すると、その人には「メキシコとの間の国境に壁をつくる」というメッセージが非常に有効だということになります。あるいは、人種差別的なウェブサイトを見ている白人に対しては、「いまはマイノリティが不当に優遇されている。これは不公平ではないか」と訴える。

こういった形で、ケンブリッジ・アナリティカは、一人ひとりの性向や価値観に訴えかける選挙キャンペーンを展開し、アメリカ大統領選挙の結果に大きな影響を与えることになったのです。

中国でいま起こっていること

個人データをフルに活用して、国全体に監視体制を敷いているのが中国です。

中国には現在、二億台以上の監視カメラが設置されていて、二〇二一年には三億台に達すると言われています。

この監視カメラには顔認識ソフトが組み込まれているので、監視カメラに映ると、それだけで人物が特定できるのです。実際、中国ではコンサート会場に監視カメラが設置され、指名手配犯人が何人も捕まったというケースが相次いでいます。

巨大IT企業のアリババは、生体データはもちろん、購買履歴、学歴や資産、通院や投薬歴など、すでに数億人の個人情報を溜め込んでいるといいます。

アリババの系列企業が開発した**「セサミクレジット（芝麻(ジーマ)信用）」**は、これらのデータをもとに、個々人や会社に信用度のポイントをつけるシステムです。たとえば、あなたがスマートフォンにセサミクレジットのアプリを入れると、さまざまな行動からあなたの「信用」が三五〇〜九五〇点の範囲で点数づけ（スコアリング）されるのです。

この得点は、①身分特質（社会的地位・身分、年齢・学歴・職業など）、②履行能力（過去の支払い状況や資産など）、③信用歴史（クレジット・取引履歴など）、④人脈関係（交友関係及び相手の身分、信用状況など）、⑤行為偏好（消費の特徴や振り込みなど）という五つの分野から計算されています。

そして、この点数が高いと、低金利で融資を受けられたり、ホテルを予約する際に支払う保証金が免除されたりするなど、さまざまな優遇措置が受けられる仕組みになっています。

恐ろしいのは、このセサミクレジットのシステムと、中国政府の監視体制が、いずれ結びついてしまうかもしれないということです。そうなれば、赤信号で道路を渡ったり路上に自転車を放置したりするだけで顔認識ソフトが本人を特定し、スコアを下げられてしまうかもしれない。政府への抗議運動などに参加したりすると、スコアは激減するでしょう。

ジョージ・オーウェルが、かつて『1984年』という小説で、監視社会のディストピア（ユートピアの逆）を描きましたが、それがいま、中国では現実化しつつあるということです。

個人データの保護は基本的人権か

ケンブリッジ・アナリティカ事件や中国の監視社会は一例に過ぎません。今後、世界のデジタル化が進めば進むほど、こういったデータの悪用や濫用を生む素地も広がっていきます。

いくらデジタル化の恩恵を受けられると言っても、GAFAやアリババのような**巨大プラットフォーマーが個人データを好き勝手に利用する**ことには問題があります。

そこでEUでは、二〇一八年五月から、**「一般データ保護規則（GDPR:General Data Protection Regulation）」**を施行し、プラットフォーマーによるデータの濫用に歯止めをかけようとしています。

GDPRの第一条二項には、「本規則は、自然人の基本的権利および自由、ならびに、特に彼らの個人データ保護に対する権利を保護する」と定められています。つまり、ここでは自分が提供した個人データが保護される権利を、基本的人権や自由と同等に重要な権利だと認めているわけです。

この権利にもとづいて、GDPRでは、国や企業が消費者の同意なしに個人データを取得することを禁じています。

また、あまり知られてはいませんが、アメリカのカリフォルニア州でも二〇二〇年一月から「カリフォルニア州消費者プライバシー法（CCPA：California Consumer Privacy Act）」を施行し、GDPRと同様のルールで個人データ保護を企業に義務付けました。

個人データやプライバシーを保護することはとても重要です。ただ、規制を強くしすぎると、当然国家や企業はデータを集めづらくなります。日本のマイナンバーカードがいい例です。

データがあまり集まらないと、デジタル化は進まない。しかし、データを簡単に集められるようにしてしまうと、個人データの保護がおろそかになります。この二律背反を乗り越えるためには、国や企業と人々との間の信頼関係が必要です。

国や企業がデータの使いみちや、そこから人々が得られる便益を丁寧に説明すれば、人々も信頼してデータを提供するようになるでしょう。その意味では、国や企業がこれからデジタル化を首尾よく進められるかどうかは、説明責任をしっかりとはたせるかどうかにかかっている、とも言えるのです。

産業構造の大転換が起きている

デジタル化が加速していくことの問題点は、データの保護だけではありません。ＧＡＦＡの台頭は、私たちの経済活動を根本的に変えてしまいました。その結果、何が起きているでしょうか。

インターネットが普及する以前、企業は電通や博報堂のような広告代理店を経由して、テレビやラジオ、新聞、雑誌に広告を出していました。これを「マス広告」と言います。「マス（mass）」とは、英語で大衆を意味するので、一般大衆に向けた広告ということです。グーグルの広告モデルは、マス広告を窮地に追いやろうとしています。企業からしてみれば、マス広告よりもグーグルのキーワード広告のほうが低価格で効率がいいからです。その結果、マス広告の広告料は年を追うごとに減少し、その分の予算がどんどんインターネットのほうに移ってきています。

広告料が減れば、その分、テレビやラジオの制作費が減るので、番組の質も低下します。一方で、最近ではネットフリックス（Netflix）やアマゾンプライム・ビデオ（Amazon Prime Video）といった動画配信サービスが、世界規模で獲得している視聴料を元手に、独自のドラマやドキュメンタリーをつくり、テレビを凌駕する人気を博しています。「広告料で番組をつくる」というビジネスモデルは非常に脆弱になってしまったわけです。

また、アマゾンは小売の世界に激震をもたらしました。ネット書店から出発したアマゾンは、やがて雑貨や家電などさまざまな商品をインターネットで販売するようになり、一大ショッピングサイトに成長しました。

当日配達などのサービス向上も目覚ましく、電子書籍の販売やビデオのレンタルも始めました。さらには、先ほど述べたように独自にドラマを制作してネット配信するまでになった。いまや、あらゆる商品やサービスをインターネットで提供する超巨大企業にまで発展したのです。

私がアマゾンについて大学の講義で取り上げるときは、「なぜアマゾンは書籍のインターネット販売から始めたか」と学生諸君に問いかけます。

これが菓子や玩具、ペットフードだったら、どうでしょうか。実際に届いてみないと、どんなものかわかりません。いまでこそアマゾンの名前はみんな知っていますし、信用も得ていますが、当時は、そもそもネットショッピングが根付いていませんでした。

その点、書籍は、どの店でもまったく同じものが買えます。客は商品の質を心配しないで注文することができる。こうしてアマゾンは、「インターネットで商品を買う」ことの利便性と信頼性を消費者に理解してもらうことから始めたのです。

アマゾンが書籍販売を始めたと聞いたとき、私は中小の書店が危機に瀕するのではないかと危惧したのですが、事態はそんな生易しいものではありませんでした。いまや書店に限らず、世界中の小売店を一掃してしまう勢いです。

GAFAはなぜ独占禁止法に引っかからないのか

デジタル化が加速していくことは、これまで以上に、プラットフォーマーの力が強大になっていくことを意味します。一度、巨大なプラットフォームができてしまうと、それをくつがえすのは容易ではありません。

デジタルの世界では、巨大なプラットフォームであればあるほど、多種多様なビッグデータが集まるため、利用者に提供できるサービスも充実していきます。ですから、**他のビジネスに比べて、一人勝ちという状態が生まれやすい**のです。

しかもＧＡＦＡのような超巨大企業には、莫大な資金力があります。そのため、将来自分のライバルになりそうな企業が生まれると、すぐに買収することができます。

以前、東京大学発のすぐれたロボットベンチャー企業がありました。ですが、そこもあっという間にグーグルに買収されました。このように、巨大ＩＴ企業は買収によってライバルの芽を摘み、それを自社の新しい事業として展開していくわけです。最近のベンチャー起業家には、あらかじめＧＡＦＡなどに巨額で買収してもらうことを意図して会社をつくるという人も出ています。

ほとんど市場を独占しているのに、ＧＡＦＡがこれまで独占禁止法の対象にならなかったことには理由があります。

独占禁止法は、企業が市場を独占してしまうことで、消費者が不利益を受けることを禁じるのが目的でした。ある商品やサービスを提供する企業が一社しかなければ、その会社は自分の好きなように値段を釣り上げることができます。だからこそ独占を禁じて、健全な競争を促すわけです。

ところがグーグルやアマゾンは、市場を独占しているものの、むしろそれによって消費者は高いサービスを享受することができています。グーグルのサービスはほとんどが無料です。アマゾンも規模が大きいからこそ送料無料の配達サービスができます。**独占すればするほど、サービスの質が高くなる**なら、独占禁止法の対象にはあたらないと解釈されてきたわけです。

ここ数年でだいぶ風向きが変わり、EUやアメリカではGAFAの一人勝ち状態を問題視する声は大きくなってきています。しかし、欧米が規制を強めたところで、消費者の支持を集めるGAFAの優位は、そう簡単には動かないでしょう。

データ経済とDXのゆくえ

GAFAはもはや、単なるIT企業という枠組みで語ることはできません。

小売業は言わずもがな、自動車、金融、ヘルスケア、教育、宇宙など、ありとあらゆる業界に入り込もうとし、関連するベンチャー企業を次々に買収しているのです。

二〇二〇年末には、いよいよアップルが自動運転EV「アップルカー」の生産に乗り出すことが大きく報じられました。私たちはいずれ、GAFAのつくり出す世界にのみ込まれてしまうのでしょうか。

二〇一八年に邦訳が出版され、翌年にビジネス書大賞を受賞した『the four GAFA――四騎士が創り変えた世界』（スコット・ギャロウェイ著）という本があります。この本では、ＧＡＦＡを四人の騎士にたとえて描いています。

キリスト教国であるアメリカでは、『新約聖書』の中の「ヨハネの黙示録」は誰もが知っているので、ヨハネの黙示録に登場する四騎士をタイトルに出すことによって、この四社が世界を死に追いやる、忌むべき会社なのではないか、ということを暗示しているわけです。

同書では、ＧＡＦＡのようなプラットフォーマーが勢力を拡大することで、**世界は圧倒的な金持ちと多くの農奴たちに分かれ、中間層がいなくなる**ことが指摘されています。

これまでの大企業は、その規模に応じて雇用もたくさん生み出してきました。単純化して言えば、売上が大きければ、それだけ社員も大勢雇っていたのです。ところがＧＡＦＡは、かつてないほどの時価総額を誇りながら、社員数は従来の大企業に比べて非常に少ない数にとどまっています。同書の一節を引用しておきましょう。

昔のヒーローやイノベーターは何百万人分もの仕事を生み出した。そしていまも生み出している。ユニリーバの時価総額は１５６０億ドルで、17万１０００世帯の中流家庭を支えている。インテルは時価総額１６５０億ドル、従業員数は10万７０００人だ。それに比べフェイスブックは時価総額４４８０億ドル、従業員数は１万７０００人にすぎない。（渡会圭子訳）

前節で説明したように、私たちはいままで見たことのない独占の世界を経験しています。プラットフォーマーが市場を独占すればするほど、便利なサービスが提供されるという、とても不思議な世界です。

しかし、はたしてそれはずっと続くことでしょうか。

これまでは分厚い中間層がいたおかげで、さまざまな消費活動が活発になっていました。その真ん中がいなくなるということは、すなわちアマゾンやアップルで買い物をする人がいなくなるということです。ＧＡＦＡが力をつければつけるほど、自分の墓を掘るようなことになりかねません。

この強大な四社が世界の利益を独占することで、それ以外の企業が淘汰(とうた)され、結果として経済全体が縮小していく。みんなが平等に貧しくなれば、ＧＡＦＡ自身さえ儲けられなくなるかもしれない。

そこまで極端な格差が開いてしまったとき、**はたして資本主義は持続することができるでしょうか**。本章で見てきたように、データ経済やＤＸには、私たちの生活を便利にしたり、働き方や企業活動を合理的できめ細かいものに変えていったりする可能性がある半面、リスクや問題も数多く残っています。

ＧＡＦＡが牽引しているデータ経済やＤＸが、これからどのような世界をつくり出していくのか。その行く先を、私たちも慎重に見極めていく必要がありそうです。

第四章　米中新冷戦の正体
——歴史は何度も繰り返すのか？

ここで、視線の先を国際情勢の大問題へと転じてみましょう。現代の米中対立は、**「新冷戦」**と呼ばれています。

近年は、アメリカと中国が激しく対立するようになってきました。しかし対立と言っても、第二次世界大戦のように直接の殺し合いをするわけではありませんから、「これは新しい冷戦ではないか」ということで、「新冷戦」、あるいは**「米中新冷戦」**という言葉が使われています。

米中対立はなぜ激化しているのか

では、なぜアメリカと中国はそこまで対立を深めているのでしょうか。その大きなきっかけとなったのは、トランプ前大統領が仕掛けた貿易戦争です。

アメリカは中国から大量の輸入品を買っています。そのためにアメリカの赤字が膨大になっている。アメリカ人の雇用も奪われている。そこで、貿易赤字を少しでも減らそうと、二〇一八年七月、アメリカは中国から入ってくるハイテク製品など三四〇億ドル分に二五%の追加関税をかけ始めました。そうすると、関税をかけられた中国製品はアメリカ国内では値段が高くなって売れなくなります。

もちろん中国もやられっぱなしではいません。すぐにアメリカから輸入している自動車や大豆など三四〇億ドル分に同規模の追加関税をかけて報復しました。このように報復として関税を上げることを「報復関税」と言います。以降、泥沼の報復合戦となり、アメリカ・中国ともに関税を上乗せする額を増やし続けました。

じつは貿易戦争は新冷戦の一端にすぎません。アメリカと中国が衝突している最大の理由は**「ハイテク覇権争い」**で、それを象徴するのがファーウェイ問題です。

ファーウェイは中国最大の通信機器会社です。アメリカのさまざまな企業の通信機器にファーウェイの部品が組み込まれています。ところが部品を組み立てるときに、そのなかに使っている人が気づかないような、いわば裏口のような機能を仕込んで、中国から指令を受ければその部品がファーウェイの通信機器を経由してアメリカの軍事情報などをごっそり盗み取って中国へ送信する仕掛けになっているのではないか。

あるいは米中が緊張関係になったときには、中国からの指令により、ファーウェイの部品が突然動作を止めてすべてが麻痺(まひ)してしまうのではないか。CIA(中央情報局)がそうした疑惑を抱いているのです。

というのも、ファーウェイはもともと中国人民解放軍出身者が設立した企業です。中国人民解放軍とのつながりが深く、ファーウェイがここまで発展した背景には、中国人民解放軍のバックアップがあったからではないかと見られています。

さらに二〇一七年に中国が定めた法律が、アメリカに衝撃を与えました。それは「国家情報法」というものです。この法律は、中国国民や中国企業に対し、「世界のどこにいても情報収集で中国政府に協力しなければならない」ということを法律で義務付けるものです。つまり「全国民がスパイになれ」という命令を法律として定めたわけです。

たとえば、アメリカで働いている中国人の研究者が、中国当局から「アメリカで開発している通信技術の情報を当局に報告せよ」と命じられたら断ることはできません。

対するアメリカは中国による情報抜き取りへの警戒感から、二〇一八年八月に「国防権限法」を制定しました。アメリカ政府の情報システムの調達企業から、ファーウェイなど中国の先端技術企業五社（ファーウェイ、ZTE、ハイテラ・コミュニケーションズ、ハイクビジョン、ダーファ・テクノロジー）の部品を組み込んだ製品を締め出すことを決めたのです。この法律では、五社の部品を組み込んだ製品を購入することが禁じられています。

さらに二〇二〇年八月からは、第二段階として、五社の部品を組み込んだ製品を使用している世界中の企業とアメリカ政府機関との取引が禁じられました。

つまり、ファーウェイなどの部品を組み込んだ製品を使っている日本企業も、アメリカの政府機関と取引ができない事態に陥ったのです。

歴史的転換点となったペンス演説

「国防権限法」が制定されて間もない二〇一八年一〇月四日、アメリカのマイク・ペンス副大統領（当時）は、中国への容赦ない対抗心をむき出しにした演説を行いました。その一部を見てみましょう（日本経済新聞電子版二〇一八年一〇月二六日より）。

ソ連の崩壊後、我々は中国の自由化が避けられないと想定した。楽観主義をもって中国に米国経済への自由なアクセスを与えることに合意し、世界貿易機関（WTO）に加盟させた。中国での自由が経済的だけでなく政治的にも拡大することを期待してきた。しかし、その希望は満たされなかった。

経済の自由化が中国を我々と世界とのより大きなパートナーシップに導くことを期待していたのだ。しかし中国は経済的な攻撃をかけることを選び、自らの軍事力を強化した。歴代政権は中国の行動をほとんど無視してきた。その結果、中国に有利になってきた。そうした日々はもう終わった。

ペンスはまず、アメリカの期待が裏切られたことを強調します。中国経済が発展し豊かになれば、中国の政治が民主化するだろうと応援してきた。しかし、世界二位の経済大国になったいまも共産党による独裁で、政治的自由が進む気配がない。それどころかアメリカを経済的、軍事的に脅かすようなことばかりしている。それを反省して、**「アメリカが中国を助ける時代は終わった」**と断じたわけです。

続けて、先に説明した中国のスパイ行為に対しても激しく批判しています。中国の人民解放軍は、アメリカの知的財産をあらゆる手段を使って略奪している。国家ぐるみの産業スパイだと言っているのです。

一九七二年のリチャード・ニクソン大統領（当時）訪中からこのときまで、「チャイメリカ」と呼ばれるほどの米中の蜜月関係が続いていました。それがついに終わったということです。

このペンス演説は、いわばアメリカによる「中国への宣戦布告」です。これに関しては、民主党も反対していません。米中の関係が劇的に変わる、まさに歴史の転換点だったと言えるでしょう。

東西冷戦はこうして始まった

では、かつての冷戦と、今回の新冷戦は何が違うのか。かつての冷戦を振り返り、その特徴を考えてみましょう。

かつての冷戦とは、**「東西冷戦」**です。東はソ連で、西はアメリカ。第二次世界大戦のような直接の殺し合いをする**「熱い戦争」**ではなく、冷たく睨(にら)み合うような対立が続く状態を**「冷戦」**と呼びました。

第二次世界大戦中、アメリカ・イギリスはソ連(ソビエト社会主義共和国連邦)と連合を組み、ヨーロッパでドイツやイタリアと戦いました。ドイツが占領していた広範なヨーロッパ地域は、西側を米軍が、東側をソ連軍が占領しました。これが「東西冷戦」の発端です。

ソ連軍が占領した地域では、ソ連寄りの共産党政権が次々に樹立されます。その結果、これらの国々は、ソ連の指導に従い、西側諸国との交渉を絶ち、まるで鎖国のような状態になっていきます。

第二次世界大戦後の世界がこうなったのは、ソ連のスターリンが約束を破ったからです。その約束とは、ヤルタ協定でした。

一九四五年二月、当時のソ連、現在はウクライナ（二〇一四年、ロシアは、ヤルタのあるクリミア半島の自国への併合を宣言したが、日本をはじめ国際社会はこれを認めていない）に所属するリゾート地・ヤルタに米大統領のルーズベルト、英首相のチャーチル、ソ連首相のスターリンが集まり、戦後秩序のあり方について会談します。その結果、ドイツの占領から解放した地域で自由選挙を実施して国民を代表する政府をつくるということで合意しました。

しかし、スターリンは、約束を守る気はありませんでした。自国の勢力圏を拡大することを考えていたのです。ソ連軍が占領したポーランド、ハンガリー、ルーマニア、ブルガリアでは、ソ連共産党の指導を受けた各国の共産党が臨時行政委員会を結成し、それが政府を形成します。唯一自由な選挙が実施されたチェコスロバキアでも、連立政権を組んだ共産党がクーデターで独裁政権を樹立しました。

こうしたスターリンの振る舞いの裏には、異常な恐怖心がありました。第二次世界大戦でドイツの侵略を受けたソ連は、実に二〇〇〇万人を超える戦争犠牲者を出しました。これがスターリンに恐怖を植えつけました。敵国になりうる国と直接国境を接していると、いつ侵略を受けるかわからない。そこで、ソ連の周辺国家は、自国の言うことを聞く国家で固めておこうと考えたわけです。

トルーマン・ドクトリンによる「封じ込め」

スターリンの対応に、アメリカは「封じ込め政策」で応じます。

一九四六年二月、駐モスクワの代理大使だったジョージ・ケナンは、ソ連を内側から観察した結果、米国務省あてに長文の電報を打ちます。それが、ソ連を「封じ込めるべきだ」と提唱するものでした。

この電報が高く評価されたケナンは、国務省に呼び戻され、対ソ連の外交政策をまとめる中心人物となります。

ケナンは、外交専門誌「フォーリン・アフェアーズ」（一九四七年七月号）に「X」という匿名で「ソ連封じ込め」を提唱する論文を執筆します。アメリカは、イギリスなど西欧諸国と連携して、ソ連の膨張主義に対抗し、これ以上ソ連の勢力圏が拡大しないように封じ込めるべきだという趣旨でした。これは、**「X論文」**と呼ばれました。

アメリカのトルーマン大統領は一九四七年三月、アメリカ議会で、民主主義にもとづく生活か、少数者が多数を抑える生活か、そのどちらかを、すべての国民が選択しなければならない、と訴えます。そして、「武装した少数者や外部からの圧力に抵抗する自由な諸国民を援助することこそ合衆国の政策」であると述べたのでした。

いわば、世界を自由主義（善）と共産主義（悪）に二分して、悪との対決を宣言したのです。これを**「トルーマン・ドクトリン」**と言います。「ドクトリン」とは、「理論」や「主義」という意味です。

第二次世界大戦後の枠組み

米ソの対立は、世界を資本主義陣営と社会主義陣営に二分し、それが第二次世界大戦後の世界の大きな枠組みとなりました。

やがて、社会主義経済は徐々に行き詰まりを見せ、一九八九年一一月にベルリンの壁が崩壊、翌一二月に、地中海のマルタで当時のアメリカのジョージ・H・W・ブッシュ大統領（パパ・ブッシュ）と、ソ連のミハイル・ゴルバチョフ書記長が共同記者会見を開き、東西冷戦の終結を宣言しました（マルタ会談）。そして九一年には、東側の覇権国だったソ連が崩壊したことで、世界はアメリカを覇権国として、グローバル化していくことになります。

しかし、アメリカ一極の時代も長くは続きませんでした。第二次世界大戦以降、アメリカは世界の警察官を自任していました。世界で問題が起こったら、アメリカ軍が出動して、これを解決する。それはグローバル化の時代も続きました。

その結果、九・一一同時多発テロへの報復として始めたアフガニスタン侵攻や、大量破壊兵器の保有を疑って空爆を開始したイラク戦争などで、アメリカは多くの犠牲者を出し、経済的にも大きな負担を抱えることになったのです。

もはやアメリカには世界の警察官をしている余裕がなくなってしまった。それを如実に表すように、二〇一三年にオバマ大統領は、テレビの演説で、「アメリカは世界の警察官ではない」と宣言しました。

さて、二〇〇〇年代に入って、**アメリカが少しずつ弱体化するのと対照的に、急成長を遂げたのが中国**です。二〇一〇年にはGDP（国内総生産）で日本を追い抜き、アメリカに次ぐ世界第二位の経済大国に躍り出ました。

そして現在、冒頭で見たように、新冷戦と呼ばれる米中対立の時代に突入しているわけです。

世界は再び二分されるのか

東西冷戦のポイントは、アメリカとソ連の二極が中心となり、資本主義国と社会主義国という形で世界が二分されたことにあります。

では、同じような現象は現在の新冷戦でも起こるのでしょうか。その兆候を示すのが、中国の「一帯一路」構想でしょう。

「一帯一路」とは、「陸と海に新たなシルクロードを築く」という構想です。中国から中央アジア、ヨーロッパを結ぶ陸路を「シルクロード経済ベルト（陸のシルクロード）」、中国から南シナ海やインド洋などを通る航路を「二一世紀海上シルクロード（海のシルクロード）」とし、その沿線国を中心に道路、鉄道、港、発電所などを整備し、中国を中心とした新たな経済圏をつくることを目指しています。

中国は、「一帯一路」構想のもとで、さまざまな国に莫大な資金を融資して、港や橋、道路などのインフラ整備を進めています。

しかし、借りる側の国はまだ経済がそれほど発展していません。にもかかわらず、身の丈以上の借金をしてしまったばかりに、お金を返せなくなる。その結果、整備されたインフラを中国に奪われてしまうのです。

いったん借金をする、つまり債務を背負うと中国の罠にかかってしまう、という意味で**「債務の罠」**と呼ばれています。

モルディブ、ミャンマー、パキスタン、スリランカ……。スリランカは返済不能に陥ったので、中国の援助で建設された港の運営権を中国に差し出しました。ふと気がつくと、インド洋からアフリカ、ヨーロッパまでの国の一部が借金地獄に陥っています。

さらに中国は、この「一帯一路」構想にもとづいて、「南シナ海は中国の海だ」と主張しています。なぜ中国はそんな乱暴な主張をするのでしょうか。その根拠は、明の時代までさかのぼります。

かつて明の時代に中国は、広大な領土をもち、南シナ海を支配していました。

明が最も栄えた第三代の皇帝・永楽帝の時代に支配地域の拡大を目指して、鄭和を南シナ海に派遣しました。鄭和は、朝貢する国を増やすため、大艦隊を編成して東南アジア、インド洋、アラビア海まで遠征し、「海のシルクロード」を築きました。その航路が「一帯一路」の海のルートそのものなのです（図表4-1）。

習近平はこう言っています。「かつて鄭和の時代に南シナ海を開拓し、平和の海にした。それ以来、中国の領土なのだ」と。すなわち、南シナ海を支配した「明の栄光をもう一度」というのが習近平主席の「一帯一路」構想です。

ほかにも中国は「孔子学院」という中国語や中国文化の普及を目指す教育機関を世界中

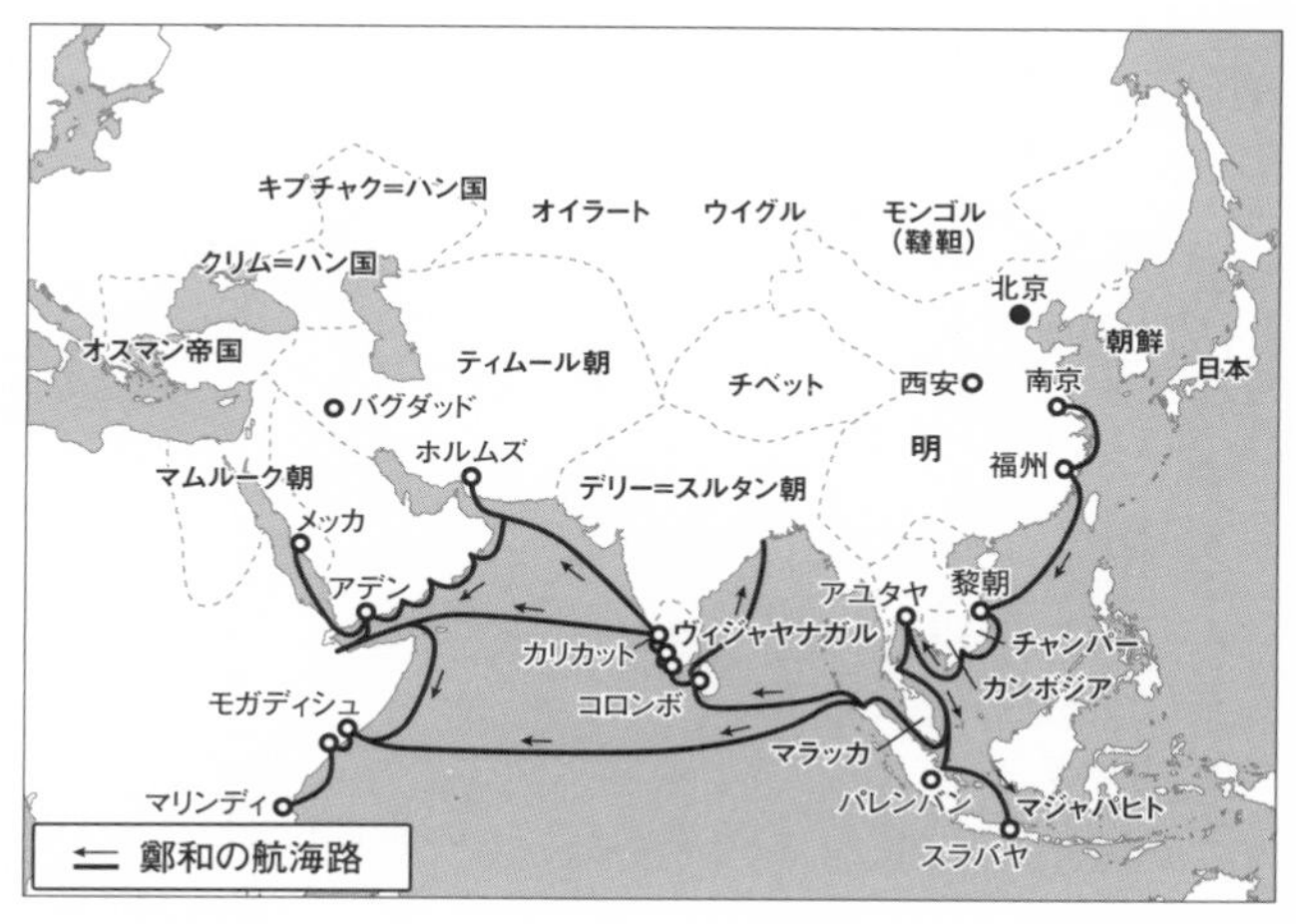

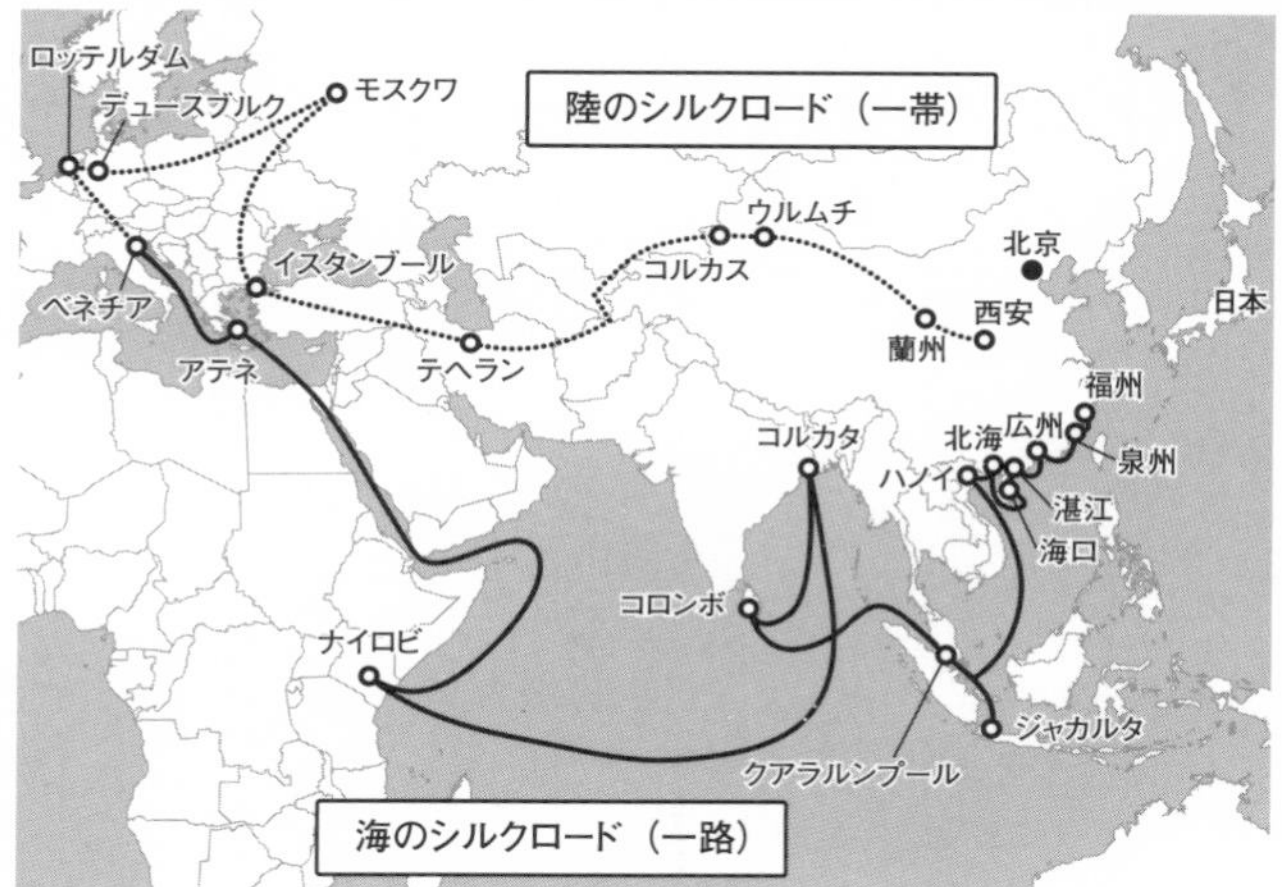

図表4–1　「鄭和の大航海」と、「一帯一路」の比較（『池上彰の世界の見方 中国・香港・台湾』〔小学館〕をもとに作成）

につくっています。ここでの教育は、中国の習近平体制を賛美するものであり、中国の影響力を拡大するための拠点になっています。

こうした形で、チャイナマネーは世界を席巻し、中国の影響力は世界中に拡大しています。その先に見据えるのは、中国を中心としたアメリカ抜きの経済圏でしょう。

現実となった米中デカップリング

実際、いま**「米中デカップリング」**が現実味を帯びつつあります。「デカップリング」とは、カップリングの否定語で「引き離す」という意味です。したがって、**米中デカップリングとは、アメリカと中国が分離していくこと**を言います。

具体的にはこういうことです。先ほど、アメリカ政府機関が、ファーウェイなど中国の先端技術企業五社の部品を組み込んだ製品を社内で使用している企業との取引を禁じていることは説明しました。

さらにアメリカは、同盟国に対してもファーウェイなどの製品や部品を使わないでくれと申し入れました。アメリカが使用禁止を求めたのは、イギリス、カナダ、オーストラリア、ニュージーランドの四ヶ国です。この四つの国とアメリカは「ファイブ・アイズ」（五つの目）と言って、情報機関同士の情報交換をしています。いずれもかつてのイギリス連邦であり、アングロサクソンの国であり、この五つの国で収集した情報を相互に提供しているのです。

ということは、アメリカが得た秘密情報はこれらの国に送られていますから、この四つの国でファーウェイなどの部品を組み込んだ製品が使われていたら、アメリカの機密情報がカナダ経由やオーストラリア経由などで中国へ送られてしまうのではないかと危険視しているのです。

アングロサクソンの国の情報機関同士の連帯の次にアメリカが重視しているのが日本です。アメリカは日本にもアメリカが得たさまざまな情報を伝えています。その情報がファーウェイを伝って中国へ送られたら大変だということで、日本にも同様の対応を要求しました。

ここまでは、ファーウェイのような中国企業の製品や部品を、政府機関は使うなという規制です。しかし現在、規制はさらに強化され、二〇二〇年九月一五日から、アメリカの技術やソフトウェアを使って製造した製品を、ファーウェイ関連企業に輸出することが原則禁止となりました。驚くべきことに、これはアメリカ国内企業だけでなく、他国の企業にも適用されるルールなのです。

たとえば、アメリカの技術を使った部品をファーウェイに輸出している日本企業は数多くあります。しかしこの規制によって、それができなくなった。外国の製品や部品であろうと、アメリカの血が入っているものは、ファーウェイにもっていかせない。そうやってアメリカは自国の技術を守ると同時に、ファーウェイを締め出そうとしているわけです。

もちろん中国もすぐに対抗策を講じました。それが二〇二〇年一二月一日から施行された「輸出管理法」です。その中身は、いま説明したアメリカの輸出規制の中国版と言えます。特定の品目の輸出を許可制にし、ブラックリストに入った外国企業には輸出を禁止する。さらに他国の企業が、中国の素材や技術を使用した製品・サービスを輸出する場合も規制の対象になります。

このように輸出規制という形で、米中のデカップリングが進んでいる。それは**かつての東西冷戦のように、世界を二つの影響圏に分断する**ことにもつながっているわけです。

香港問題に表れた新冷戦の構図

米中による世界の分断は、すでに国際政治の場にも表れています。その舞台は香港です。二〇一九年、香港では「逃亡犯条例改正案」に対する抗議活動が起こり、大規模な民主化運動に発展しました。「逃亡犯条例（逃亡犯引き渡し条例）」とは、香港で拘束された香港以外の国・地域で罪を犯した容疑者の引き渡しについて定めたものです。

この条例の背景には、二〇一八年に、カップルで台湾に旅行中の香港人が妊娠中の恋人を殺し、香港に逃げ帰るという事件がありました。台湾はこの男を国際指名手配していたのですが、香港と台湾の間では「犯罪人引き渡し協定」が結ばれていなかったので、男を殺人罪に問う裁判にかけることができませんでした。

そこで香港行政府は二〇一九年四月「逃亡犯条例改正案」を議会に提出します。この改正案で、引き渡し先の対象に中国を追加したのです。これまで他国から指名手配されている人物が香港で逮捕された場合、協定を結んでいる本国に送り返すことができることになっていますが、中国はそのなかに含まれていませんでした。

香港には、中国本土にはない自由があります。言論の自由、表現の自由が認められてい

米国議会での「香港人権・民主主義法案」の早期成立を求める集会の様子。
2019年10月14日、香港で撮影（写真提供：毎日新聞社）

ます。ですから中国政府を批判することも、中国共産党を批判することも自由です。ところが今後は共産党を批判して、中国から「犯罪者だ。身柄を中国に引き渡せ」と言われたら、引き渡さざるを得なくなるのではないかという危機感が広がりました。

中国政府や中国共産党を批判したら中国に連れていかれて犯罪者にされてしまう。そうなったら香港の言論の自由がなくなるという恐れです。そういう危機感をもって「改正案を撤回しろ」という反政府デモを始めたわけです。

結局、香港政府は一〇月に逃亡犯条例改正案を正式に撤回しましたが、反政府デモは普通選挙の実現を求め、さらに続いていきました。それを後押ししたのが、アメリカで成立した「香港人権・民主主義法案」です。

アメリカのトランプ大統領は、一一月二七日、議会が成立させた「香港人権・民主主義法案」に署名し、法律が成立しました。トランプ大統領としては、翌年に控える大統領選をにらんで、アメリカ国内の嫌中感情にアピールしたかったのでしょう。

成立した法律は、アメリカ政府に対して、香港の自由が中国政府によって侵害されていないかを毎年検証し、結果を議会に報告するよう義務付けるというものです。

当然、中国はこの法律に対して、内政干渉だと強く批判しました。さらに、二〇二〇年六月三〇日には「香港国家安全維持法」を成立させます。この法律によって、国家分裂、政権転覆、テロ活動、外国勢力との結託によって国家の安全を脅かすことが禁止され、最高で終身刑が科されることになりました。

成立直後の八月には、政府に批判的だった「蘋果日報(ひんか)（アップルデイリー）」の創業者、黎智英(れいちえい)氏や周庭(しゅうてい)（アグネス・チョウ）氏が逮捕されるなど、表現の自由や人権が保障されてきた香港の一国二制度をゆるがす事態になっています。

では、諸外国は「香港国家安全維持法」をどのように評価したでしょうか。

日本やイギリス、ドイツ、フランスなど二七ヶ国は、国連人権理事会で同法を強く非難する共同声明を出しました。対して、同じ会合で、キューバ、ミャンマー、エジプトなど、合計五三ヶ国が中国政府を支持する共同声明を発表しています。つまり、新興国の多くは、中国を支持したわけです。そして、国の数で言えば、中国を批判している国より支持している国のほうが多いのです。

このように、香港支配を強化しようとする中国に対して、国際世論もアメリカ側と中国側の二つに割れています。ここに、**米中新冷戦の構図**がはっきりと表れています。

トゥキディデスの罠と米中関係

いまの米中関係は「**トゥキディデスの罠**」に陥っていると、国際情勢を見る専門家は言います。トゥキディデスとは『戦史』を書いた古代ギリシャの歴史家です。

当時は、スパルタが軍事的な覇権国で、アテナイ(アテネ)が新興国にあたります。アテナイが力をつけてスパルタを脅かす。戦争にはたいへんなコストがかかるので、合理的に考えると戦争をしないほうがいいのですが、次第に緊張が高まってペロポネソス戦争になだれ込んでしまった。

アメリカの政治学者グレアム・アリソンは、『戦史』をもとに、大きな権力をもつ覇権国家があるところに、新興国が台頭し、両者が新たに覇権を争って衝突が起きることを「トゥキディデスの罠」と名付けました。

世界史を考えると、トゥキディデスの罠に陥ったケースは数多くあります。一六世紀には、当時の覇権国スペインと新興国イギリスが英仏海峡で衝突しました。二〇世紀のイギリスとドイツ、太平洋戦争時のアメリカと日本なども同様です。そして、二一世紀初頭のいまも、まさにアメリカと中国がそういう状況なのではないかというわけです。

ただ、古代ギリシャでは、覇権国だったスパルタが大変な軍事独裁的な都市国家であったのに対して、新興国のアテナイは民主政が発達した都市国家でした。だから、いまの米中の関係とはあべこべになっています。

東西冷戦と新冷戦の違いとは

さらに言うと、現在の新冷戦には、かつての東西冷戦とは大きく性質の異なる点があります。

かつての冷戦はイデオロギーの対立でした。ソ連は社会主義、共産主義思想を世界に広げようとし、アメリカは資本主義や自由主義を輸出しようとしました。

それに対して、**米中の根本的な対立軸はイデオロギーではなく、国家の経済力や安全保障、資源です**。たしかに中国は共産党が事実上支配している社会主義の国ですが、対立軸はそこにはありません。

ですから、専門家のなかには「新冷戦」という言葉を使うことを避ける人もいます。冷戦はあくまでイデオロギーの対立であり、今回の米中対立は覇権争いと捉えるからです。

とくにトランプ大統領の時代は、イデオロギー対立は後景に退き、経済や安全保障という面が前面に出ていました。理由は明白で、トランプの本質はビジネスマンだからです。トランプにとって、国内政治も外交も、貿易政策もすべては「ディール（取引）」で取り組むものでした。そこに理念や理想、イデオロギーはありません。

二〇一九年一一月に「香港人権・民主主義法案」に署名したり、二〇二〇年六月に「ウイグル人権法案」に署名したりしたのも、トランプの人権意識が高かったからではありません。議会が可決したものを追認したのであり、それらは中国との取引を有利に進めるための手段にすぎません。

たとえば、二〇二〇年八月に、ロシアの野党指導者アレクセイ・ナワリヌイ氏の毒殺未遂事件が起こりました。ナワリヌイ氏は旅客機内で体調が急変し、いったんはロシア国内の病院に搬送されましたが、「ロシア国内では危険だ」という支援者の判断でドイツに移送されました。その結果、旧ソ連軍が開発した毒薬「ノビチョク」を盛られたことが判明したのです。

事件が起きたとき、ヨーロッパ各国の指導者、とくにドイツのメルケル首相はロシアを強く非難しましたが、トランプは一言たりとも非難のコメントを発していません。

日本についても、二〇一六年の大統領選挙の最中には「日本が今後もアメリカに守ってもらいたいのであれば、費用をさらに負担するか、アメリカに何かあったときは、日本もアメリカ同様の義務を負うべきだ」という考えを有権者に語っていました。

トランプにとって日本を守るのは、自由主義を守るためではありません。あくまでもアメリカにとってのメリットという観点から安全保障も考えていたのです。

北極海をめぐる利害衝突

イデオロギーの薄さという点では中国も同じです。

中国が影響圏を広げているのは、共産主義というイデオロギーを拡大させるためではありません。南シナ海を押さえようとするのも、アジアでの覇権を握るための軍事的な戦略として有用であり、そこに埋蔵されている原油資源を獲得したいからです。

最近では、北極海が米中の利害衝突の場となっています。なぜでしょうか。

地球温暖化に伴い、北極海の氷がどんどん融けているからです。その結果、夏場には北極海航路が一部ですが使えるようになってきました。さらに北極の海底にはさまざまな資源が眠っていることもわかっています。

二〇一九年夏、トランプが「グリーンランドを買いたい」と突然言い出したのもそのためです。グリーンランドはデンマークの自治領です。もちろんデンマークのメッテ・フレデリクセン首相は「馬鹿げている」と一蹴しました。

トランプとしては、北極海周辺に親中国家が成立することを阻止したいという気持ちもあったかもしれません。

事実、中国はグリーンランドに接近し始めていて、島の空港拡張工事に中国企業が参加しているからです。空港の拡張は多くの島民が願っている独立の第一歩となるものです。グリーンランドは二〇〇九年に自治権が拡大されましたが、経済的自立が課題でした。それが温暖化の影響で氷が融け始め資源開発がしやすくなった。ここに中国が目をつけたのです。

当然、そこにはロシアも目をつけている。おそらく今後も北極海は、資源の争奪戦が行われる緊張した地域になっていくでしょう。気候変動の影響は、新冷戦にも影を落としているのです。

バイデン政権で米中対立はどうなるのか

さあ、それではバイデン新大統領のもとで、新冷戦はどのような展開になっていくのでしょうか。

おそらく米中融和は簡単には進まないでしょう。バイデンはオバマ政権時代の副大統領です。そのころのバイデンは、中国と良好な関係を築いていました。

しかしトランプ政権になって、米中が徹底的に対立し、トランプはひたすら中国の悪口を言い、中国を叩いた結果、アメリカの世論はかつてないほど反中国に傾いています。そこには新疆（しんきょう）ウイグル自治区の人権問題や、香港の問題も影響しているでしょう。反トランプのリベラルな陣営も現在の中国には批判的です。

したがって、バイデン政権のほうから中国に歩みよるという選択は難しいでしょう。しかも、民主党は人権問題に敏感ですから、人権を無視するような中国政府の政策には批判の矢を向けていくはずです。

それは中国の論理では、絶対に許されない内政干渉ということになります。そうすると、これまでのトランプ政権では、イデオロギーは無関係でしたが、バイデン政権下では**かつての東西冷戦のように、イデオロギーが対立軸に入り込んでくる可能性**があります。

実際、バイデン大統領は「アメリカは戻った」「世界から引きこもるのではなく、世界

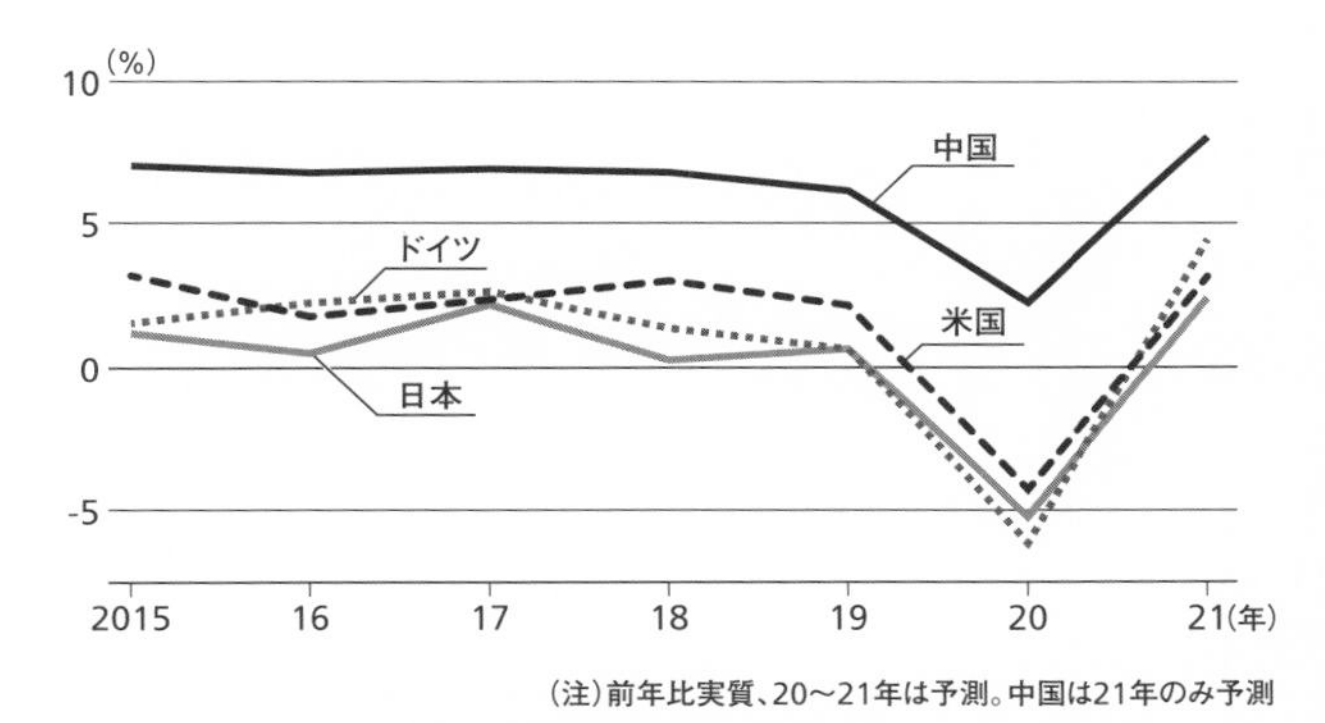

図表4–2　各国の経済成長率の推移(「日本経済新聞電子版」2021年1月18日)

をリードする準備ができている」という発言をしています。トランプのように「アメリカ・ファースト」ではなく、国際協調体制に参加し、アメリカがそのリーダーシップをとることを世界に語っているわけです。

ここに、変化の兆候を見ることもできるかもしれません。未来から振り返ったとき、いまが「**米中対立がこれから文字通りの新冷戦に突入し、より複雑なものになっていく転換点だった**」という可能性はあります。

もちろんその場合のイデオロギーの対立軸は、資本主義対共産主義ではありません。いまや中国の経済体制は資本主義と変わりません。これからの新冷戦では、自由や人権といったものが大きな意味をもつようになっていくのでしょう。

また、新型コロナも新冷戦に大きな影響を与えています。コロナ以前から、新冷戦がますます激化し、中国がアメリカを凌駕する日がやってくるんじゃないかという予想はありました。両国の経済の差がこのコロナによって一気に縮まってしまったのです（図表4-2）。

コロナ感染は中国から始まったことですが、皮肉なことに、中国がいちはやく封じ込めに成功し、経済も元に戻り、経済成長率もプラスに転じています。一方、欧米は第二波、第三波でも大きなダメージを受け、なかなか回復することができません。

こうして見ると、コロナの影響で、世界に中国が占める地位は一段と高くなっています。いずれ起こるであろう未来が先取りされたわけです。

「どうするか」ではなく「どうあるべきか」

イデオロギーも加わって米中対立が激化していくことが予想される時代に、日本はどうすればいいのでしょうか。

どちらか一方につけば解決とはいきません。自由や民主主義、人権の尊重という点では、日本はアメリカと理念を共有しています。トランプ後のバイデン政権で、かつてのアメリカが戻ってきたならば、やはり彼らと歩調を合わせていくことは必要でしょう。

しかし、だからといって、隣国である中国と全面的に対立したら、安全保障という面でも経済という面でも、日本は深刻な危機に直面することになります。とりわけ、いまや日本経済は、中国との関係抜きには成立しないと言っていいほど、多くの企業が中国でビジネスを展開しています。それだけに日本政府も日本企業も、アメリカと中国の間で、いっそう難しい舵取りを迫られることになるはずです。

ただ、本当に重要なことは、アメリカと中国の顔色をうかがいながら、「日本はどうしましょう?」と立ち位置を考えることではありません。私たちは空気を読むのが得意なせいか、ついつい世界の空気まで読んでしまいます。

でも、それは考える順番が逆です。本来は、**「日本はどうあるべきか」**が思考の出発点です。東アジアの一角を占める、この島々からなる日本列島の私たちはどう生きるべきか、どう暮らしていくべきかという主体的なビジョンがまずあり、そのためにアメリカや中国をはじめ、他の国々とどのような関係をつくっていくべきなのかと考えなければなりません。

これはものすごく大変な作業です。東西冷戦時代は、とにかくアメリカの仲間になっていればよかった。冷戦が終わっても、中国が力をつけるまでは、アメリカの傘の下にいれば、経済面でも安全保障面でも危機的な事態に直面せずにすみました。

しかし、これからはそういった単純な思考は通用しません。コロナ危機のなか、バイデン新大統領が誕生し、新冷戦も新たな局面を迎えようとしています。いまほど、日本のあるべき姿、あるいはありたい姿を考えなければならない時期はないのです。

第五章　人種・ＬＧＢＴ差別

——アイデンティティ政治とは何か？

BLM運動はなぜ起きたのか

この章では、人種差別や移民排斥など、現代に起きている差別や排外主義の問題を取り上げます。最初にこの章のキーワードを示しておくと、**「イデオロギーからアイデンティティへ」**ということになります。

イデオロギー対立の時代からアイデンティティが政治的な問題になる時代へ変化した、という意味ですが、前章では現在の新冷戦が、かつての冷戦と異なりイデオロギー対立の側面が希薄化していると述べました。同様のことが私たちを取り巻く政治の世界でも起こっているのです。

それがどういうことなのかを、いくつかの例とともに説明していきましょう。

アメリカの事例が多いのですが、あらかじめ言っておくと、差別や排外主義は、アメリカだけに起きている問題ではありません。ヨーロッパや日本もまた、同じ問題を抱えています。そのことを念頭に置きながら、アメリカで起きていることを見ていきましょう。

最初に取り上げるのは、二〇二〇年にアメリカで起こった「Black Lives Matter」運動に代表される黒人差別の問題です。

「Black Lives Matter」は、略して「ＢＬＭ」と言います。これは日本語に訳すのが難しい表現です。「黒人の命は大切だ」と訳しているメディアもありますが、こういう言い方をすると、じゃあ、白人はどうでもいいのか、アジア人はどうでもいいのかと受け取られかねません。だから、私は「黒人の命も大切だ」というふうに訳しています。

ジョージ・フロイドさんの追悼式には数千人が参加した=2020年6月4日、ニューヨークで撮影（写真提供：毎日新聞社）

　でも、「Black Lives Matter」に「も」や「は」というニュアンスはありません。直訳して「黒人の命、大切」とするとしっくりくるのですが、これでは日本語としてたどたどしくなってしまいます。そこで以下の説明では、略語のＢＬＭを使うことにします。

　このＢＬＭ運動は、二〇二〇年五月二五日、アメリカ中西部ミネソタ州で黒人男性のジョージ・フロイドさんが白人警官に押さえつけられて窒息死した事件が発端です。この事件をきっかけに、差別反対を訴える大規模な抗議運動が起こりました。

しかし、これはあくまでもきっかけであり、以前から黒人が白人の警察官に殺されるという事件は相次いでいました。

二〇一四年には、ミズーリ州のファーガソンという町で、黒人の一八歳の少年が白人警察官に撃たれて死亡するという事件も起きました。このときも、警察への抗議デモが一部の暴動に発展し、警察官だけでなく州兵までが動員される事態となりました。さらに、二〇二〇年一〇月にも、ペンシルベニアで黒人男性が二人の白人警察官に銃で撃たれて死亡するという事件がありました。

いまは、何か事件が起きたとき、近くにいた人がスマートフォンで容易に撮影できます。だから、白人警察官による黒人の射殺もすぐに「見える化」して、国内外にあっという間に伝わっていく。そういうケースがいくつも積み重なってきた結果、ジョージ・フロイドさんの事件が発火点となって、ＢＬＭ運動が広がっていったわけです。

アメリカの銃社会

そもそもアメリカでは、警察官によって年間どのくらいの人数が殺されているのでしょうか。じつはアメリカの政府機関は、このデータをもっていません。

日本だと都道府県の記録を警察庁がまとめているので、日本国内で同様の事件があれば、数字としてわかります。ところがアメリカの警察は、自治体単位で閉じているので、日本の警察庁のように、全国の警察の活動を統括する組織がありません。映画やドラマなどでよく目にするＦＢＩ（連邦捜査局）は、州をまたぐ犯罪を捜査する連邦レベルでの捜査機関ですから、日本の警察庁とは性格が異なります。

ですから、アメリカには、警察官によってどれだけの人が殺されているかというまとまったデータは存在しないのです。

ただ、新聞社やＮＰＯ団体などが、独自に各自治体の警察を調査し、その結果を合計した数字は出ています。それらを参照すると、なんと**アメリカでは、警察官によって毎年およそ一〇〇〇人が殺されている**ことが明らかになっています。

その内訳を見ると、絶対数としては白人のほうが多いのですが、人口比で言えば黒人のほうがはるかに高い割合で殺されています。

なぜ、これほど多くの人が警察官によって殺されてしまうのか。その大きな要因として、アメリカが銃社会であることが挙げられます。

アメリカ合衆国憲法修正第二条には、次のように記されています。

> 規律ある民兵団は、自由な国家の安全にとって必要であるから、国民が武器を保有し携行する権利は、侵してはならない。（駐日アメリカ大使館の訳による）

冒頭の「規律ある民兵団」とは何でしょう？　イギリスの植民地だったアメリカは一七七五年、独立を目指してイギリスと戦争を起こしました。これがアメリカ独立戦争です。アメリカの一三の植民地がイギリスに対して自治権を求めた戦争で、一七八三年に独立を獲得し、正式にアメリカ合衆国を形づくりました。

このとき、アメリカの一般市民が自分の銃をもって戦争に駆けつけました。つまり**憲法がいう規律ある民兵とは、この一般市民を指しているの**です。

一般市民が銃をもち、規律ある民兵団として戦ったからこそ、豊富な武器をもっていたイギリス軍に打ち勝つことができ、アメリカは独立をはたすことができた。そして、銃があったからこそ、その後の北米大陸の開拓も実現できた。**こうした伝統が根付いているため、アメリカの憲法は一般市民が銃で武装する権利を認めている**のです。

しかし、その副作用はじつに大きいものです。アメリカでは二〇一七年に、約四万人もの人々が銃によって死亡しています。日本で発砲事件によって犠牲になる人数は、暴力団の抗争によるものを除けば毎年数名から十数名ですから、いかにアメリカの銃社会が大勢の人々の命を奪っているかがおわかりでしょう。

二十数年前、私が初めてアメリカに取材に行ったときには、「警察官から職務質問を受けて、身分証明書を見せろ、パスポートを見せろと言われたら、ジャケットの内側に手を入れるな」と言われました。そんなことをしたら、拳銃を取り出すんじゃないかと思われる。だからその瞬間に警官から撃たれても、文句は言えないというのです。

このエピソードからもわかるように、白人警察官も常に「撃たれるんじゃないか」という恐怖を抱えながら、パトロールなどをしているわけです。職務質問をするだけでも、相手が銃を引っ張り出すんじゃないかと疑心暗鬼になってしまう。
そういう不安がいつでもあるので、相手の挙動に少しでもおかしなものを感じたら、先に撃たなければという心理が働いてしまうのでしょう。

黒人差別の歴史

ＢＬＭ運動がこれほど大規模な抗議運動に発展した背景には、アメリカの歴史が大きく関係しています。**アメリカの歴史は、黒人を差別する体制と、それに抗議し差別を撤廃しようという人々との戦いの歴史**でもありました。

アメリカに黒人奴隷が最初に連れて来られたのは、一六一九年八月二〇日のことです。オランダ船が、バージニア入植地のジェームズタウンにやってきて、二〇人のアフリカ黒人を売り渡しました。これ以来、アメリカには、アフリカから黒人が「運び込まれる」ようになったのです。

一六〇〇年代に、アメリカでは各州が相次いで黒人奴隷制度を法律で認めるようになります。黒人奴隷は商品として連れて来られたため、家畜や家財道具と同等に持ち主の財産として扱われました。

たとえば、「商品が入荷。男性、女性、いずれも働き盛り」という、当時の宣伝のポスターまで残っていたということです。あくまで黒人は商品として売り買いされていたということです。

一七七六年のアメリカ独立宣言には、「すべての人間は生まれながらにして平等であり、その創造主によって、生命、自由、および幸福の追求を含む不可侵の権利を与えられている」（駐日アメリカ大使館の訳による）と記されています。

しかし、この「すべての人間」のなかに黒人は含まれていませんでした。実際、この独立宣言の起草者であるトマス・ジェファーソンも黒人奴隷を所有していました。そして、女性の黒人奴隷との間に子どもをつくっています。

当時は、白人同士が結婚をするもので、黒人奴隷は商品だから、黒人奴隷に子どもを産ませたところで、何の問題にもならなかったということです。といっても、トマス・ジェファーソンは黒人女性に産ませた自分の子どもだけは奴隷から解放したそうですが。

南北戦争と奴隷解放宣言

アメリカに連れてこられた黒人奴隷は、もっぱら南部の大農場の労働力として使われました。アメリカ北部では、気候が涼しくヨーロッパとあまり変わりがないため、ヨーロッパ向けに農作物を売ることもなく、家族経営が基本の小農がほとんどでした。そのため、大農場が発展せず、黒人奴隷を必要としなかったのです。

さらに、独立戦争によってアメリカ国内で人権意識が高まると、黒人奴隷がほとんどいなかった北部を中心に、奴隷制度反対の意識が広がり始めます。

とりわけ北部では、産業革命の結果、工業化が進み、「自由な労働者」による資本主義経済が発展しました。資本主義経済の発展とともに、人々の民主主義意識や人権意識も高まり、奴隷制度を認めることに反感をもつ人が増えていきます。**「資本主義経済・自由労働者の北部」対「前近代的農業・奴隷労働の南部」という対立構造**が出来上がっていくのです。

一八六〇年、奴隷制度廃止を求める共和党からエイブラハム・リンカーンが大統領に当選すると、奴隷制度の廃止を求められることを恐れた南部の州が、アメリカ合衆国からの離脱を図ります。

サウスカロライナ、ミシシッピー、フロリダ、アラバマ、ジョージア、ルイジアナ、テキサスの計七州が合衆国から離脱して、「アメリカ連合国」（通称・南部連合）を結成し、奴隷制度を認める憲法を制定します。一八六一年四月には、南部連合の軍隊が連邦政府の要塞を攻撃し、南北戦争が始まりました。

戦争が始まると、南部連合にはバージニア、ノースカロライナ、アーカンソー、テネシーの四州も加わり、南部一一州対北部二三州という構図に発展していきます。ただし、奴隷制度をとっていたメリーランド、デラウェア、ケンタッキー、ミズーリの四州は北部の連邦にとどまりました。

南北合わせて六〇万人もの死者を出す悲惨（ひさん）な内戦が勃発したのです。南北戦争中、南部では黒人奴隷が次々に農場から逃亡します。これにより、南部の農業の生産力は低下しました。また、奴隷の逃亡を防ぐために軍隊の一部を割かざるを得なくなり、南軍の勢力は分散しました。

一方、北軍には大勢の黒人が参加しました。勝てば奴隷制度がなくなるからです。つまり彼らは「自分たちの戦争」を戦ったわけです。

リンカーンは、奴隷制度廃止を求める共和党の大統領でしたが、本人はそれほど奴隷解放に熱心だったわけではありません。むしろ奴隷制を容認し、黒人に対する根強い偏見をもつことで知られていました。

しかし、共和党の主流が奴隷制度廃止論者であったことや、南北戦争を有利に進めるためには南部の黒人たちを味方につける必要があったことから、南北戦争最中の一八六三年一月一日、奴隷解放宣言を発表します。合衆国を脱退した州（つまり南部連合）での奴隷制度の廃止を宣言したのです。

一八六五年四月、北軍の勝利で南北戦争が終わります。その直後、リンカーンはワシントンの劇場で暗殺されてしまいますが、同じ年、合衆国憲法修正第一三条が承認され、合衆国全体で奴隷制度が廃止されました。

投票税と父祖条項

南北戦争後、南部諸州で黒人奴隷が解放され、自由黒人となった人々には、選挙権も与えられました。そして大勢の黒人たちが選挙で投票し、彼らの代表が各地の議会に進出していきました。

しかし、やがてかつての黒人奴隷の所有者たちの反撃が始まります。一九世紀終わりから二〇世紀初頭にかけて、南部各州で黒人から選挙権を取り上げる動きが広がったのです。表向きは黒人差別ができなくなったので、実質的に黒人が選挙権を行使できなくする条件がつくられました。それが、投票にあたっての**「投票税」（人頭税）、「読み書き試験」、「父祖条項」**などでした。

「投票税」（人頭税）は、投票にあたって税金を納めることを義務づけたものです。所得が低い黒人たちは税金を納めることができず、投票できなくなってしまいます。

「読み書き試験」は、選挙で適切な判断をくだす能力をもっているかどうかを審査するテストです。このテストに受かった人だけが有権者登録ができる、というわけで教育を満足に受けられず、読み書きできなかった黒人たちは投票から除外されました。

読み書きテストというと簡単なものと思うかもしれません。ところが、そうではないのです。このテストの内容を調べてみると、ある州では、「州の最高裁判所の裁判官の全員の名前をフルネームで書け」という問題が出ていました。

日本で言えば、最高裁判所の裁判官一五人のフルネームを書かせるようなものです。それが書けなければ有権者登録ができない。こういう形で、黒人が投票できないようにした州がいくつもあったわけです。

しかし、これらの条件は、貧しくて教育のない白人にとっても投票の障害となります。そこで白人の場合は、投票できる例外規定を設けました。それが、「父祖条項」です。この条項は、「投票税」を払えず、「読み書き試験」に受からなくても、かつて投票資格を有していた者やその子孫は投票できる、というものでした。「かつて投票資格を有していた者」と言えば、白人しかいません。要するに白人は投票できる、という条項です。こうした条項は、黒人を名指しにしないで黒人に投票させないという意味で、巧妙な方法でした。これにより、黒人のほとんどが、選挙から締め出されたのです。

さらに、白人と黒人の結婚を禁止する法律も各州で制定されました。学校やバス・列車などの交通機関など、さまざまな公共施設が白人用と黒人用に分けられました。しかもこのような黒人の分離を、連邦最高裁判所が、「たんに白人と黒人を区分けしているからといって、それがただちに両人種間の法的平等を否定しているわけではない」として、人種差別には当たらないという判断を示しています。こうして「分離すれども平等」が法原則となりました。

差別は格差となって現れる

こうした黒人差別をなくそうという公民権運動が盛んになったのは、一九五〇年代半ば以降でした。その中心人物は、マーティン・ルーサー・キング牧師です。

一九六三年八月二三日、公民権運動は最高潮に達しました。キング牧師は奴隷解放宣言から一〇〇年を記念する集会を企画し、ワシントンで二〇万人以上が参加する大行進が行われました。

そのとき、リンカーン記念堂の前でキング牧師が行ったのが、有名な「アイ・ハブ・ア・ドリーム（私には夢がある）」という演説です。

私には夢がある。それは、いつの日か、ジョージアの赤土の丘の上で、かつての奴隷の息子と、かつての奴隷所有者の息子が、兄弟として同じテーブルに腰をおろすこ

とだ。（中略）
私には夢がある。それは、いつの日か、私の四人の小さな子どもたちが、肌の色によってではなく、人格そのものによって評価される国に生きられるようになることだ。
（辻内鏡人、中條献『キング牧師――人種の平等と人間愛を求めて』岩波ジュニア新書）

この公民権運動に押される形で一九六四年に成立したのが、公民権法です。公民権法では、投票前の「読み書き試験」を原則禁止しました。また、ホテルやレストラン、カフェテリア、映画館、スポーツ競技場などでの肌の色や出身国による隔離・差別を禁止しました。

さらに、公教育での差別をなくすための措置も定められました。こうして、奴隷制度廃止から一〇〇年ののちに、ようやくアメリカでは制度上の人種差別が撤廃されたのです。

そして二〇〇九年、第四四代大統領にバラク・オバマが就任しました。オバマ大統領のスローガンである「チェンジ」の通り、アメリカ社会は初めてアフリカ系の大統領を誕生させました。肌の色ではなく、本人の能力によって評価される――かつてキング牧師の夢見たことが、一部でようやく現実のものになったのです。

しかし黒人差別がなくなったかと言えば、決してそんなことはありません。潜在的な差別は、格差となって現れています。たとえば失業率では黒人は白人の約二倍です。新型コロナウイルス感染症の人口当たりの死者数でも、黒人は白人の二倍以上となっています。貧しいため医療保険に入れない黒人が多く、彼らは十分な医療を受けられないのです。

冒頭で述べたように、警察官による黒人への暴力もいまだに日常的に行われています。しかも、二〇一七年に白人保守層を支持基盤に大統領となったドナルド・トランプは、しばしば差別をあおるような発言をして社会の分断を進めました。ですから、**BLM運動はいつ燃え上がってもまったく不思議ではない状態だった**のです。

黒人への差別はいまだ続いている

二〇二〇年の大統領選挙でも、黒人の投票を妨げる仕掛けが見られました。たとえば、共和党側の知事がいる州では、黒人が多い地域の投票所を削減するという妨害が見られました。新型コロナウイルスの感染が広がっているから、感染を防止するために投票所を減らすというのが大義名分です。

しかし投票所を減らすと、少なくなった投票所に人が集中するので、感染防止としては逆効果です。その真意は、民主党支持者が多い黒人の投票をじゃますることにあるわけです。

有権者登録を厳しくするという妨害もありました。アメリカには、日本のような住民基本台帳がないので、事前に有権者登録をしないと投票することはできません。

有権者登録の仕方も州ごとに異なりますが、州によっては、自動車運転免許証のように顔写真付きの身分証を求めるところもあります。

アメリカは、高校の正課の授業で自動車の運転免許がとれます。だから、自動車免許証をもっている人は多いわけです。でも、低所得の黒人や高齢の黒人のなかには、運転免許証をもっていない人もけっこういます。その結果、彼らは有効な身分証をもっていないということで、有権者登録の段階で門前払いされてしまうのです。

このように、共和党知事の州は、手を替え品を替え、黒人の投票を妨害しようとしました。それだけ**黒人への差別は根深く、いまだに続いている**ということです。

民主党、共和党のLGBTに対する姿勢

アメリカの民主党と共和党とを分ける差別問題としては、「LGBT差別」というものがあります。

LGBTとは、「レズビアン」「ゲイ」「バイセクシャル」「トランスジェンダー」の頭文字をつなげた言葉です。レズビアンは女性の同性愛者、ゲイは男性の同性愛者、バイセクシャルは男性も女性も愛する両性愛者、トランスジェンダーは身体の性と心の性が一致しない人のことを指します。性に関して多数派ではないことから、LGBTを**性的マイノリティ**と呼ぶこともあります。

また、LGBTの人たちのシンボルとして、レインボーカラーを思い浮かべる方も多いかもしれません。ここには、虹のように多様な人たちが集まっていることが表現されています。

LGBTに関する二つの政党の意識の差を知ったのは、二〇一六年のアメリカ大統領選挙のときでした。私は民主党と共和党の両方の党大会を取材しました。

共和党大会では、もちろんトイレは男性と女性に分かれていました。一方、民主党の会

場は、男性用と女性用のほかに、**「オール・ジェンダー（性別フリー）」**というトイレが設置されていました。トイレの設置一つをとっても、民主党と共和党でＬＧＢＴに対して異なる態度が表れているわけです。

米軍への入隊条件も、民主党のオバマ大統領の時代に大きく変わりました。それまでは、同性愛者の入隊は風紀が乱れるからという理由で認められていませんでした。しかし、二〇一一年にまず国防総省が軍の規定を変えて、同性愛を隠さずに入隊することができるようになりました。さらに二〇一六年には、トランスジェンダーにも米軍の門戸を開きました。

ところが、共和党のトランプ大統領は二〇一七年に再びトランスジェンダーの入隊を禁止します。しかし二〇二一年、民主党のバイデン新大統領が、トランスジェンダーの米軍入隊を認める大統領令に署名したことで、またも事態は一転しました。

もう一つ、別の例を紹介しましょう。

二〇一五年にインディアナ州では、「宗教の自由」を保護する法律（宗教の自由回復法）を定めました。法律を成立させたのは、当時はインディアナ州の知事であった、共和党のマイク・ペンス前副大統領です。

文字面だけを見れば、個々人の宗教に寛容であることを定めた法律のように見えます。しかしこれは、LGBT差別を正当化するための法律だったのです。

いったいどういうことでしょうか。たとえば、敬虔なクリスチャンのケーキ屋さんに、ゲイのカップルがやってきて、「自分たちは結婚することになったので、ウエディングケーキをつくってください」と頼んだとしましょう。

この法律は、宗教の自由を理由にそれを断ることを認めるというものです。つまり、このケーキ屋さんは「自分は敬虔なキリスト教徒であり、同性愛者の結婚は認められない。あなたたちのケーキをつくってくれと言われても、それは私の宗教的な自由に反するからお断りする」と、サービスの提供を拒否することができるわけです。

すると、どうなったか。その後、多くの企業がこの法律をLGBTの差別につながるものだと批判し、インディアナ州への投資を削減したり、予定されていたイベントを中止する意向を表明したりしたのです。

最終的に、マイク・ペンスはこの法律を修正し、LGBTに対する差別を認めない形で成立させることになりました。

この例からもわかるように、現在も手を替え品を替えＬＧＢＴ差別をしようという動きがある一方で、それに対抗する運動も起きているのです。

「アイデンティティ政治」とは

ここまで黒人差別とＬＧＢＴ差別の問題を駆け足で見てきました。これらの差別は、いまもなお続いています。しかし同時に、ＢＬＭ運動のように、差別に対する抗議運動も大規模に展開されるようになりました。

ここで重要なのは、黒人や性的マイノリティの**当事者たちは、自分たちのアイデンティティを強く意識している**ということです。黒人であれば「自分は黒人である」ことが、自分自身にとって大事な存在意義として感じられる。同性愛者であれば、「自分は同性愛者である」ことが自分自身の存在意義を形づくっている。

したがって、差別解消のためであっても、多数派の価値観を受け入れることには抵抗を感じます。それは自分のアイデンティティを否定することになりかねないからです。

たとえば、南北戦争を戦った南軍の英雄の像が、南部各地に建てられています。バージニア州には南部連合の指導者だったジェファーソン・デイビスの像がありました。しかし、「奴隷制度を守ろうとしていた人物ではないか」と、二〇二〇年六月一〇日に倒されました。また南軍を率いて戦ったロバート・リー将軍の像も各地にありますが、これも撤去すべきだという声が上がり、いくつかの像が撤去されています。

こうした行動の背景には、多数派の歴史を押しつけられたくないという黒人たちの気持ちがあります。つまり、黒人たちは黒人のアイデンティティを大切にすることを、社会に求めているわけです。

ＬＧＢＴ運動にも同じことが言えます。性的マイノリティの当事者たちは、多数派である異性愛者の価値観に同調することで、差別解消をしたいとは考えていません。そうではなく、自分たちの性のあり方や性的マイノリティが生み出してきた文化を認めることを、社会に求めているのです。

このように、現代のアメリカでは、**多数派の価値観や文化に同化するのではなく、自分たちの集団的アイデンティティの承認を求めることが、大きな政治的論点になっています。**これを「**アイデンティティ政治**」と言います。

しかし、問題をさらに複雑にしているのは、現在のアメリカでアイデンティティの承認を求めているのは、黒人やＬＧＢＴのようなマイノリティだけではないということです。このことを移民問題とともに考えていきましょう。

移民大国アメリカの構造

アメリカは、「移民の国」です。外国で生まれた人々が移住してきてアメリカ国民になり、アメリカという国をつくりあげてきました。

アメリカが受け入れた移民の数は、これまでに合計で五〇〇〇万人を超えます。いまも年間一〇〇万人近くの人々が合法的に入国し、移民となっています。同時に、国境を不法に越えてやってきて滞在し続ける不法移民も、現在一〇〇〇万人以上いるのです。

歴史をひもとくと、アメリカを建国したのはイギリスからの植民者たちですから、当初はイギリスからの移民が圧倒的でした。しかし、まもなくヨーロッパ各国から移民がやってくるようになります。

一九世紀半ば、まずは、アイルランドから移民の波が押し寄せました。当時のアイルランドで主食のジャガイモが病害のためにほぼ全滅し、大飢饉（ききん）が発生したためです。一八二〇年から一九〇〇年までの八〇年間に、じつに四〇〇万人がアメリカに渡ったと言われています。

貧しいアイルランド移民は、教育もなく、工業労働者としての技術ももっていなかったため、アメリカ産業社会の底辺にあって、都市にスラムを形成しました。アイルランド人はカトリック教徒だったため、プロテスタント主流のアメリカでは差別と迫害を受けたのです。

一八四八年から四九年にかけては、ドイツでの革命の失敗から、大勢のドイツ人が祖国を逃げ出し、アメリカにやってきました。

一八八〇年代になると、東ヨーロッパでのユダヤ人迫害を逃れようと、ユダヤ人が大挙してアメリカに渡ります。その後の四五年間で二〇〇万人のユダヤ人がアメリカに移住しました。現在のアメリカ国内のユダヤ人は五〇〇万人を超えています。

やがて、アメリカへの移住を目指す人々の出身国は、北西ヨーロッパから南ヨーロッパ、東ヨーロッパ、ロシアへと広がります。

この人たちは、それまでの北西ヨーロッパ出身の移民とはまったく異なる文化をもっていたため、**「新移民」**と呼ばれます。

とりわけイタリアからは、一八八〇年からの四〇年間に四〇〇万人の移民が入国しました。イタリア人が集まったコミュニティが形成され、そこには本国からやってきたマフィアの集団も成長したのです。

白人が少数派になる時代がやってくる

アメリカは、新しい移民の波が押し寄せるたびに、社会階層が大きく変動しました。

当初、アメリカ合衆国を建国したのは、**「WASP(ワスプ)」**と呼ばれる人々です。WASPとは、ホワイト(white)、アングロサクソン(Anglo-Saxon)、プロテスタント(protestant)の頭文字を並べたもので、アングロサクソン系の白人プロテスタントを意味します。この人たちが、アメリカの指導層を占めていました。

そこに、先述したようにヨーロッパ各地から移民がやってきた。アイルランド人は英語を話しますが、カトリック教徒であることを理由にして差別されます。それでも次第にアメリカ国内に地歩を築くようになると、そののちには、英語を話せない地域から、何の技術ももっていない人々がやってきます。

そうすると、次はこの移民たちが、アメリカ国内の最下層になります。彼らはスラム街にまとまって住み、互いに助け合いながら、低賃金の肉体労働に甘んじるしかありません。しかし、やがて英語を話せるようになり、子どもたちに教育を受けさせることができるようになると、子ども世代は、ゆっくりとアメリカ社会の階層を登り始めます。

そこに、また別の移民たちが入ってくると、それまでの移民より下の階層に入り、差別を受けながら一から生活を築いていく。自分たちより下の階層が生まれることで、これまでの移民たちは、一段高い階層に上昇する。**この繰り返しこそが、アメリカの移民の歴史**なのです。

一九世紀末から二〇世紀にかけては、中国人や日本人などの黄色人種に対する差別が燃え盛りました。日清戦争や日露戦争での日本の勝利を見た白人たちが、**「黄色人種の脅威」**を訴え、差別が広がったのです（黄禍論（こうかろん））。

第二次世界大戦後になると、中南米から、いわゆるヒスパニックと呼ばれる人たちの移民が急増します。「ヒスパニック」はスペイン語を話す人たちという意味です。でも、そうすると、ポルトガル語を話すブラジル人には当てはまらないので、最近は「ラテン系の」を意味する**「ラティーノ」**という言葉を使うことが多くなりました。

もちろん比率としては、スペイン語圏の人のほうが圧倒的に多い。アメリカのニューヨークでもカリフォルニアでも、街角にはスペイン語が氾濫（はんらん）しています。ラティーノの多くはカトリックで、避妊が認められていないこともあって出生率が高いのです。

ラティーノの人口はいまや五五〇〇万人にのぼり、黒人を追い抜いて、白人に次ぐ多数派になっています。今後もアメリカのなかでラティーノが占める割合は高まっていき、相対的に白人の割合は減っていくことでしょう。

ラティーノ以外でも、中東からイスラム系の人たちが戦乱を避けて、安全なアメリカに移り住んできます。イスラム教徒も避妊はできないので子沢山です。

中国やフィリピン、インドからの移民も増えています。移民出身国の上位五位は、メキシコ、インド、中国、フィリピン、エルサルバドルです。統計によれば、**今世紀中のかな**

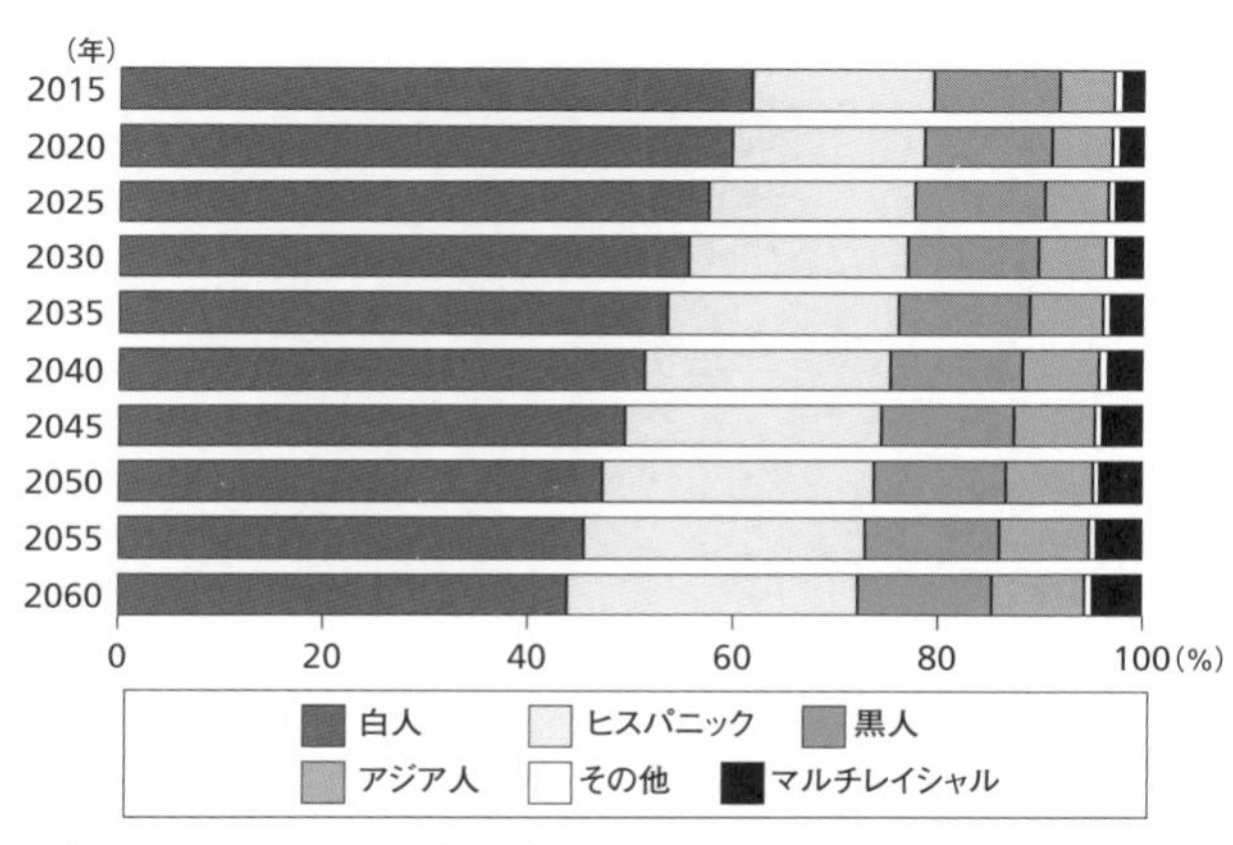

図表5–1　2015～2060年の米人口推移予測（BBC NEWS JAPAN「【米大統領選2016】なぜアメリカ人はそんなに怒っているのか」https://www.bbc.com/japanese/features-and-analysis-35705524をもとに作成）

り早い段階で、白人が少数派に転じてしまうことが予測されています。

「差別されている」と感じる白人たち

二〇一六年のアメリカ大統領選挙で、トランプの選挙集会に集まったのは白人ばかりでした。特に白人低所得者層からは圧倒的に支持されました。

トランプは彼らに向かって「メキシコからの不法移民は認めない」「私が大統領になったらメキシコとの間に万里の長城のような高い塀をつくるだろう」と訴えました。

その声に、低所得の白人労働者たちは沸き返りました。それだけ白人労働者の閉塞感は強かったのです。なかでも、ミシガン、オハイオ、ペンシルベニアなど、**「ラスト・ベルト」**と呼ばれる州で暮らす白人労働者の支持が勝敗を決する要因となりました。

これらの州は、一九三〇年代は、鉄鋼や金属、自動車工業で栄えた白人労働者の町ですが、一九七〇年代に入ると、海外の安い製品に押されて工場が次々に廃業し衰退してしまった。あるいは、ペンシルベニア州の炭鉱労働者は、石炭の使用が減ったことで、炭鉱がどんどん廃坑に追い込まれていきました。

ラスト・ベルトの「ラスト（rust）」とは、錆びついたという意味です。「ベルト」は地帯です。つまりラスト・ベルトとは、いまや時代遅れの工場や機械に依存している**「錆びついた地帯」**ということなのです。

こうした地域は、以前は労働組合が強くて民主党の牙城でした。トランプはこの地域を足しげく訪れ、そこにいる仕事を失った白人労働者に対して「おまえたちのことを俺は見捨てていない」と語りかけました。

トランプの演説は、仕事を得ることもままならない白人労働者の「新たな移民にこれ以上仕事を奪われたくない」という感情を増幅させるものでした。

ここでもまた問題になっているのは、アイデンティティです。

つまり、これまで多数派だった白人の存在感がどんどん薄れていく。自分たちの仕事がラティーノなどの移民に脅かされている。にもかかわらず、民主党のエリートたちは、黒人やLGBTの権利ばかりを擁護して、自分たちに目を向けようとしない。これは白人差別じゃないか。このようにアメリカでは、黒人やLGBT、移民だけでなく、これまで彼らを差別してきた**白人のなかにも「差別されている」という被害者意識**が育っているわけです。

イデオロギー対立からアイデンティティ対立へ

イギリスのEU離脱についても同じことが言えます。

東西冷戦が終わると、東ヨーロッパの人たちが大挙してEUに入ってきました。EU内には、移動の自由、居住の自由がありますから、ポーランドから大勢の移民がイギリスにやって来て働くようになったわけです。

ポーランドの人たちは、安い給料で喜んで働きます。その結果、イギリスの所得の低い労働者たちの仕事が奪われる。こういう人たちが、移民排斥を訴え、イギリスはEUから離脱すべきだという運動を支持することになったのです。

前章で見たように、かつての東西冷戦期は、国内で資本主義か社会主義かというイデオロギーの対立がありました。そして労働者は、アメリカなら民主党を、イギリスなら労働党を支持してきました。

ところが冷戦が終わり、ソ連グループにいた東側陣営の国が一挙に資本主義の経済体制をとるようになると、莫大な数の労働者が西側の先進国になだれ込んでいきます。

その結果、これまで安定した生活を送っていた先進国の労働者の賃金は下がり、失業率も高まっていった。結果、民主党や労働党に投票しても、自分たちの生活のために何もしてくれない、見捨てられたと考える労働者が増えていったわけです。

それに伴って、政治の場での対立も変化します。イデオロギー対立の時代は、当然、労働者と資本家という対立が政策の方向性を左右しました。

しかし、イデオロギーの時代が終わったことで、特定の集団の利益や承認を求めることが政治的な目標として掲げられるようになっていく。それが、**「アイデンティティの時代」**

ということなのです。

多様性を認め合うコミュニティ

アイデンティティは、自分の生まれや育ち、ルーツなどに深く根ざすものなので、簡単に取り換えたり、取り外したりできるものではありません。そのため、アイデンティティに関わる問題もまた解決することが難しいのです。

アメリカの黒人差別を見ていると、多くの人は「アメリカはひどい」と思うかもしれません。ところが日本の電車の中で、黒人が座っている座席を見ると、その隣の席が空いている様子をよく見かけます。日本人の側に差別という意識はないかもしれない。でも、他の席は埋まっているのに、自分の横の席だけ空いているとなると、その黒人はなにかしら疎外感を覚えることでしょう。

日本は、欧米諸国に比べて、きわめて移民が少ない国でした。でも、これから移民が増え、他の人種・民族を普通に街で見かけるようになると、さまざまな差別意識が生じてくるかもしれないのです。アイデンティティの違いは、どうしても差別意識につながりやすいからです。

このように自分たちとは異なるアイデンティティの人たちに対して排斥的、あるいは攻撃的、敵対的な行動や考えをとることを「**排外主義**」と言います。しかし、それが社会に大きな分断を生み出してきたことは、アメリカの歴史から明らかです。

そして、この問題はいまや世界中に拡大しつつあります。

排外主義の解消に特効薬はありませんが、差別意識が増幅してしまう要因はわかっています。それは、同じアイデンティティの人間だけで固まってしまうことです。

逆に言えば、さまざまな人種や民族、性的指向の人など、多様な人々が自分のコミュニティに住んでいて、日常的に接する機会が増えれば、差別意識はかなり薄くなっていく可能性があります。

すでに日本にも、移民の人たちが暮らしているコミュニティがありますよね。たとえば、埼玉県の蕨(わらび)市にはクルド人たちのコミュニティがあり、「ワラビスタン」と呼ばれています。最初は偶然、あるクルド人が蕨に住むようになった。すると、あとから日本に来たクルド人たちがこの人を頼ってその周辺に住むようになり、共同体ができあがっていったわけです。

蕨の町に行くとクルド人たちを大勢見かけます。クルド人たちは、自分たちの存在を受け入れてもらうために、町の清掃を率先しておこなったり、コンビニエンスストアの前でたむろするのをやめたりしたそうです。クルド人はクルド人で、蕨の市民から受け入れてもらえるようにさまざまな努力をしている。そういう努力を見れば、蕨の人たちも受け入れやすいでしょう。

こうした共生の形を時間をかけて地道に増やすことでしか、差別は解消されていきません。もちろん、制度的面での整備も必要です。

アメリカやイギリスは、多文化共生という点では、日本より一歩も二歩も先を行っていました。それでも差別はなくならないどころか増幅している。それだけこの問題は、難しく重い課題だということです。

第六章　ポスト資本主義——なぜ格差や貧困はなくならないのか？

世界の富豪上位八人の資産

最後の章では、**「格差や貧困」**の問題を取り上げます。格差や貧困は、私たちを取り巻く経済や、その経済を支える仕組みと密接に関わっています。つまり、格差や貧困の問題を考えることは、当然私たちが生きている資本主義の未来を考えることでもあるのです。

そのことを踏まえたうえで、まず初めに格差や貧困について、大変ショッキングなデータをあなたに見ていただきましょう。

二〇一七年一月、貧困問題に取り組む国際的なＮＧＯオックスファムは、世界中にいる**富裕層の上位八人のもっている資産が、世界人口の半分にあたる下位三六億七五〇〇万人の資産とほぼ同じ**だというレポートを発表しました。

この八人が所有する資産はどれくらいなのかというと、計四二六〇億ドル、当時の日本円にして約四八兆七〇〇〇億円（一ドル＝一一四・三円で換算）。信じられない額を、たった八人の大富豪が所有しているということです。

オックスファムによれば、「一九八八年から二〇一一年にかけ、下位一〇％の収入は年平均三ドルも増えていないのに、上位一％の収入の増加幅は一八二倍」だったといいます。

さらに二〇二〇年一月、同じくオックスファムが、世界のビリオネア（一〇億ドル以上の資産をもつ人）の数が過去一〇年間で倍増し、最富裕層二一五三人は下位四六億人よりも多くの財産を保有していると発表しました。

格差が開くのは財産だけではありません。たとえば、新型コロナウイルスの感染にも格差がはっきりと表れました。

ウイルスは私たち人間に平等に襲いかかってきますが、感染率も致死率も低所得層のほうが高かった。感染が拡大すると、高額所得層はリモートワークでの働き方にシフトできますが、低所得層の働く現場の多くはリモートワークができません。公共交通機関で毎日出勤せざるを得ず、感染が増えてしまうのです。

アメリカでは、**黒人の死亡率が白人よりはるかに高い**ことがわかっています。ニューヨークを見ても、郊外から自動車で通ってくる人たちは、あまり感染していないし、死亡者は比較的少数です。それに対して、ブロンクスのあたりから地下鉄などの公共交通機関を利用してマンハッタンに行く黒人たちの死亡率は、非常に高い。

富める者はますます富み、貧しい人はますます貧しくなって、格差が広がっていきます。

そして有事では、貧しい人から犠牲になっていくのです。

いったいなぜ、世界はこんな状況になってしまったのでしょうか。少し歴史を振り返ってみましょう。

社会主義が資本主義のブレーキ役をはたしていた

東西冷戦の時代には、**社会主義国が存在したことが、資本主義の行き過ぎにブレーキをかける役目**をはたしていました。

資本主義国には、格差が大きくなりすぎると労働者たちが怒りだして、ソ連や中国のような社会主義政権が誕生する革命が国内で起きるんじゃないかという恐怖感がありました。だから資本主義国でも、社会主義革命が起きない程度に労働者に分け前を与える仕組みが働いていたのです。

ところが、ソ連の崩壊により社会主義が崩壊してしまったことで、資本主義は社会主義からのプレッシャーを受けなくなりました。資本主義は勝利し、国際政治学者のフランシス・フクヤマは『歴史の終わり』を書きました。

資本主義国の多くは、政治的には自由主義・民主主義国家です。フクヤマは、同書で「東西冷戦」というイデオロギー対決の歴史は、自由主義、民主主義の勝利によって終わったのだ、と主張しました。

もはや資本主義にブレーキをかける相手はいません。その後の資本主義は、自由な市場を拡大していくことに邁進(まいしん)していきます。国家の規制を排除し、自由な経済競争をすることが、豊かな社会を築くことだと思い込んだのです。

ここに思い上がりがありました。結果的に「資本主義万歳!」になり、格差是正の取り組みをしなくなった。その結果が冒頭に紹介した衝撃的な格差です。

トマ・ピケティ『21世紀の資本』の意義

社会主義がなくなり、純粋な資本主義を追求したら、大変な格差が生まれてしまった。このことは、資本主義に、貧富の格差を拡大する力が内在していることを示唆しています。

そのことを見事に実証した本が、フランスの経済学者トマ・ピケティが書いた『21世紀の資本』です。

ピケティはこの本のなかで、格差に関するある不等式を導き出し、世界中で注目されました。日本でも大きな話題になり、二〇一五年には来日もしています。

日本語版で七〇〇ページ以上もある経済の専門書ですが、なぜこの本が注目されたのかというと、多くの人が漠然と「格差が拡大しているんじゃないか」と感じていたことを、長期にわたる統計データにもとづいて実証的に説明したからです。

彼は共同研究者とともに、世界二〇ヶ国以上の税務当局の統計データ、つまりそれぞれの国の人がどれだけ税金を納めたかという記録などを、二〇〇年以上前までさかのぼって収集しました。データを集めるのに約一五年かかったそうです。

その膨大なデータをもとにピケティが実証した、衝撃的な不等式がこの本に書かれています。

r>g

「r大なりg」ということですが、これだけでは何のことかわかりません。**rは資本収**

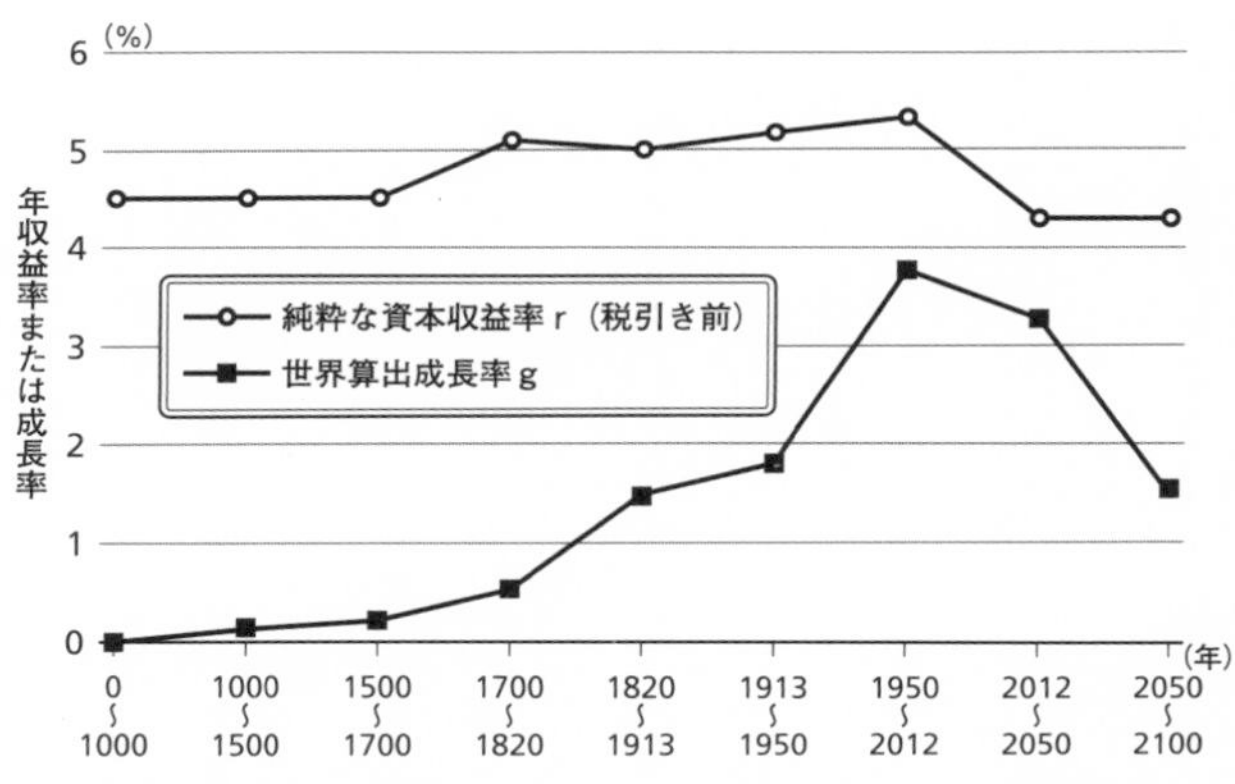

図表6–1　「r>g」をグラフにすると、こうなる（トマ・ピケティ『21世紀の資本』〔みすず書房〕をもとに作成）

益率、gは経済成長率です。

資本収益率というのは、株や不動産などあらゆる資本（資産）を運用した際に得られるお金の割合のこと。言い換えれば、お金持ちが自分がもっているお金を株や不動産に投資して運用したとして、そのお金が一年間でどれくらい増えるのかを計算した数字です。年間平均四～五％で増え続けるとピケティは書いています。

一方、経済成長率というのは、国家のGDPの伸び率のことを言います。GDPは、利益の合計なので、働くことで得られるお金と考えることができます。その増加率は、平均で年間一～二％です。

お金持ちが株や不動産を運用すると年四～五％財産が増え続けるのに、多くの人が一生懸命働いて得られるお金は年間一～二％しか増えていかない。この不等式が資本主義経済で成立しているということは、資本主義が続くかぎり、お金持ちはますますお金持ちになり、そうでない人は一生懸命働いてもなかなかお金持ちにはなれないわけです。

ピケティの研究は、昔からみんなが何となくそうかもしれないなと思っていたことを、見事に数字で実証したところに意義があります。

不平等を正当化するイデオロギーがあった

ピケティは『21世紀の資本』に続き、二〇一九年に『資本とイデオロギー』（未邦訳）という本を出しました。この本は、**いつの時代にも富の不平等を正当化するイデオロギーがあること**を立証したものです。

たとえば、一八世紀後半に起きたフランス革命のあと、フランスの格差はどうなったと思いますか？

革命直後に制定された人権宣言には、国民の自由と平等が定められています。でも、財産に関してはまったく平等ではありません。一九世紀のフランスは、上位一%のお金持ちが国中の私有財産の半分を保有し、下位五〇%の貧困層はほとんど財産らしきものをもっていませんでした。

ピケティはその理由として、革命後、私有財産が神聖不可侵になったことを挙げています。人権宣言には、国民の自由や平等とともに、所有権が神聖で不可侵の権利であることも定められています。つまり**フランス革命は、国民の政治的な平等は定めたものの、そこに財産を平等に分配するという発想はなかった**わけです。その結果、財産の極端な不平等が一九世紀を通じて続いたのです。

そして、先ほど説明したように、ソ連が崩壊して社会主義の力が衰えたあとは、**資本主義が格差を正当化するイデオロギーの役割をはたしました**。自由な競争をして経済が成長すれば、いずれ万人に富が行き渡る。

だから、政府の規制はできるだけ撤廃し、市場原理に任せるのがいいんだ。こうした新自由主義的な考え方が世界を席巻し、格差は拡大の一途をたどっていったわけです。

とりわけアメリカでは、「アメリカン・ドリーム」という言葉が示すように、一生懸命働いてお金持ちになる人を尊敬する文化が根付いています。それをお行儀よく表現すれば、「がんばった人が報われる社会になるべきだ」ということになります。そう、小泉政権や安倍政権がよく使っていた言葉です。

菅総理も「自助、共助、公助」を政策理念として掲げています。まずは自分で努力しなさい。そう言われれば、もっともだと思うかもしれません。しかし、格差や貧困は親から子へと連鎖していくものです。スタート時点での不平等に目をつむり、とにかく自分で努力をしなさいというのは、やはり新自由主義的な考え方にもとづくものなのです。

戦争によって縮まった格差

その一方で、ピケティの『21世紀の資本』を読むと、過去に二回、格差が急激に縮まった時代があることがわかります。それが第一次世界大戦と第二次世界大戦です。

どちらの世界大戦でも、ヨーロッパは焼け野原になりました。つまり、お金持ちも資産をほとんど失ってしまった。結果、お金持ちが貧しくなることで、格差が縮まったということです。

アメリカは戦場にはなりませんでしたが、第二次世界大戦後には、多額の戦費をまかなうために、累進課税の傾斜を大きくして、お金持ちからたくさんの税金を徴収しました。そのため、格差は縮小したのです。

日本も同様です。アメリカの空襲で日本中が焼け野原になり、格差が縮まりました。さらに、日本の大土地所有制度がＧＨＱ（連合国軍最高司令官総司令部）によって解体されたことで、それまで小作農民だった人々が自分の土地をもてるようになった。それも戦後の平等化に大きく貢献しました。

一九六〇年代になると、池田勇人（はやと）内閣のもとで高度経済成長は本格化します。つまり、日本は格差があまりない状態で、ぐんぐんと経済成長することができたのです。それが分厚い中流層を生み出すことになり、「一億総中流」が実現しました。

累進課税の傾斜も現在よりはるかにきつく、戦争直後は最高税率が八五％という時期もありました。一九七〇年代半ばから一九八〇年代初頭までは七五％ですが、これに住民税一八％が加わりますから、高額所得者は九三％が税金として徴収されていました。

このように、皮肉なことですが、**戦争が起こると格差は縮まり、平和な時代が続くと、資**

本主義の力によって格差は広がってしまうのです。

日本のなかの格差と貧困の実態

しかし、「一億総中流」もいまや過去の話になってしまいました。

一九九〇年代以降、労働市場の規制緩和が進められ、非正規雇用の労働者が増えたことで、「ワーキングプア」と呼ばれる新たな貧困層が急増しました。

アベノミクスでは、新卒の就業率は上がり、失業率は下がったので、雇用は増えました。しかし、その多くは非正規雇用です。その結果、雇用者の平均給与は下がってしまいました。

たとえば、第二次安倍内閣が誕生した二〇一二年の正規労働者の年間平均給料は、四六七・六万円でした。一方、非正規労働者は一六八・〇万円だったので、二九九・六万円の格差がありました。二〇一八年はどうか。正規労働者の平均年収は五〇三・五万円なので、増えています。しかし、非正規労働者の平均給与は一七九・〇万円。ほとんど増えてないですね。この格差は三二四・五万円ですから、二〇一二年よりも、正規労働者と非正規労働者の格差は広がったということです。

ここで**「相対的貧困」**という概念から、日本の貧困の状況を見てみましょう。

相対的貧困は**「絶対的貧困」**と対になる概念です。絶対的貧困とは、最低限の生活を営むことができないような状態のこと。食料や生活必需品を購入するためのお金がないなど、衣食住さえままならない人たちが置かれている状態を言います。

アフリカで飢餓に瀕して、たくさんの人が亡くなっていく映像を見ることがあります。あれがまさに絶対的貧困です。

それに対して相対的貧困とは、年間の可処分所得が中央値の半分を下回っている状態のことです。可処分所得というのは、要するに手取りのお金です。働いて得た収入から社会保険料や税金を差し引いたものと思ってください。

中央値は、聞いたことのない人がいるかもしれません。これは平均値とは違います。所得の平均値は、すべての世帯の所得を足してその数で割った金額。厚生労働省による二〇一九年の調査では、一世帯あたりの所得の平均値は五五二万三〇〇〇円です。

「わあ、うちは平均に届いてない」とガッカリする人が多いと思いますが、とてつもな

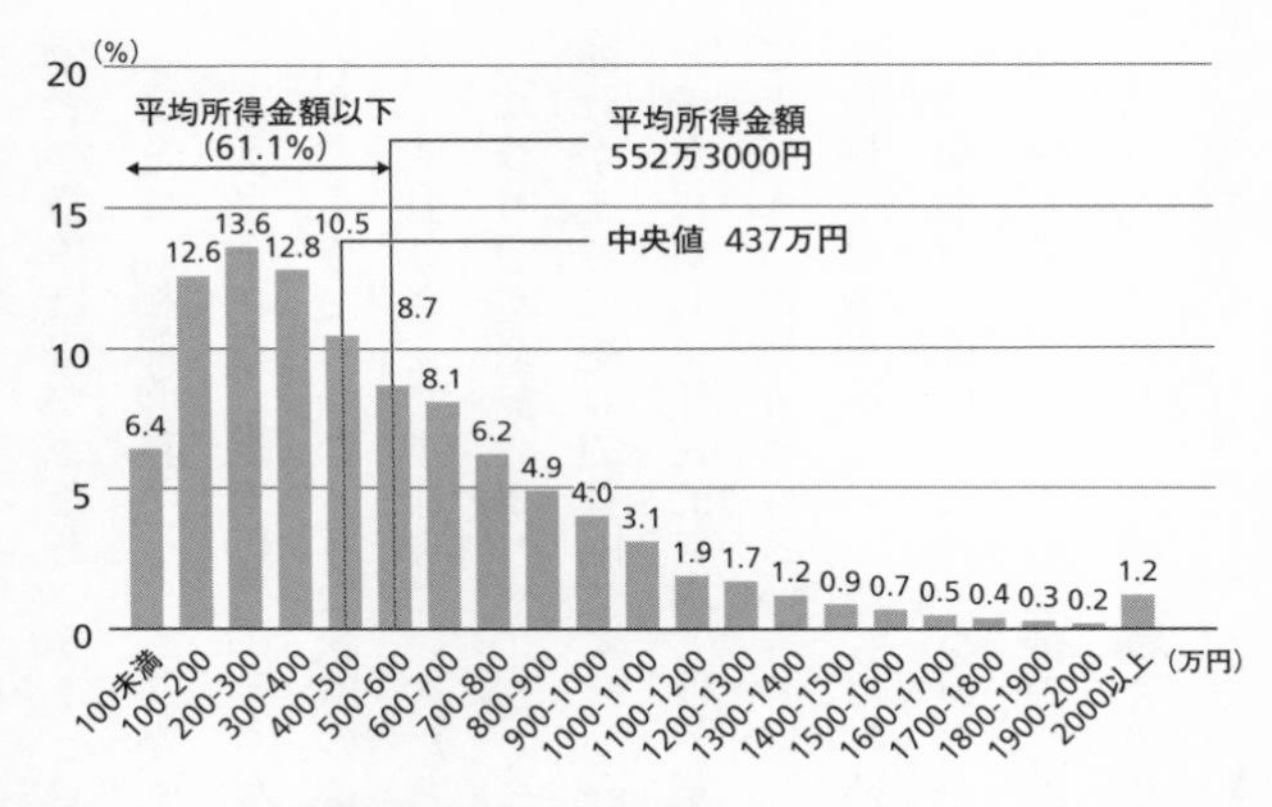

図表6–2　所得金額の分布と、その中央値（厚生労働省『2019年 国民生活基礎調査の概況』をもとに作成）

いお金持ちの世帯が平均値を引き上げているため、どうしても高めの数字が出てしまいます。

一方の中央値は、全世帯を所得順にずらっと並べて、ちょうど真ん中を示す数値です。それがいくらになるかというと、厚生労働省の同じ二〇一九年の調査で四三七万円と発表されています。

どうですか？　平均値と比べて一〇〇万円以上差がありますよね。この数字のほうがしっくりくるのではありませんか？　平均値よりも中央値のほうが所得の実態により近いと言われており、貧困を知るうえでは所得の中央値を使うのが一般的です。

その場合の相対的貧困とは、四三七万円の半分を下回っている状態、つまり世帯当たりの所得が年間約二一八万円を下回る人たちが、いわゆる相対的貧困層ということになります。

ただし厳密には先ほど述べたように、相対的貧困率は可処分所得で計算します。それで計算すると、二〇一八年の相対的貧困のライン(=貧困線)は、一二七万円でした。つまり、手取りで月に一〇万円を割ってしまう人が相対的貧困層です。

では、相対的貧困とされる世帯はどれくらいあるのか。二〇一八年の相対的貧困率は全体で一五・四%、一七歳以下の子どもの貧困率で一三・五%です。日本の全人口のおよそ六~七人に一人は、手取り額一〇万円に満たない額で生活しているということです。

さらに問題なのは、**シングルマザーの貧困率**です。日本のひとり親世帯の貧困率は約五割で、先進国では最も高い数字になっています。ひとり親の多くはシングルマザーです。シングルマザーで子育てをするとなると、ほとんどの場合、非正規労働に就くしかありません。しかもフルタイムで働くことができない。だから、所得も少なくなってしまう。

そういうシングルマザー世帯の子どもは、十分に栄養のバランスがとれた食事をとるこ

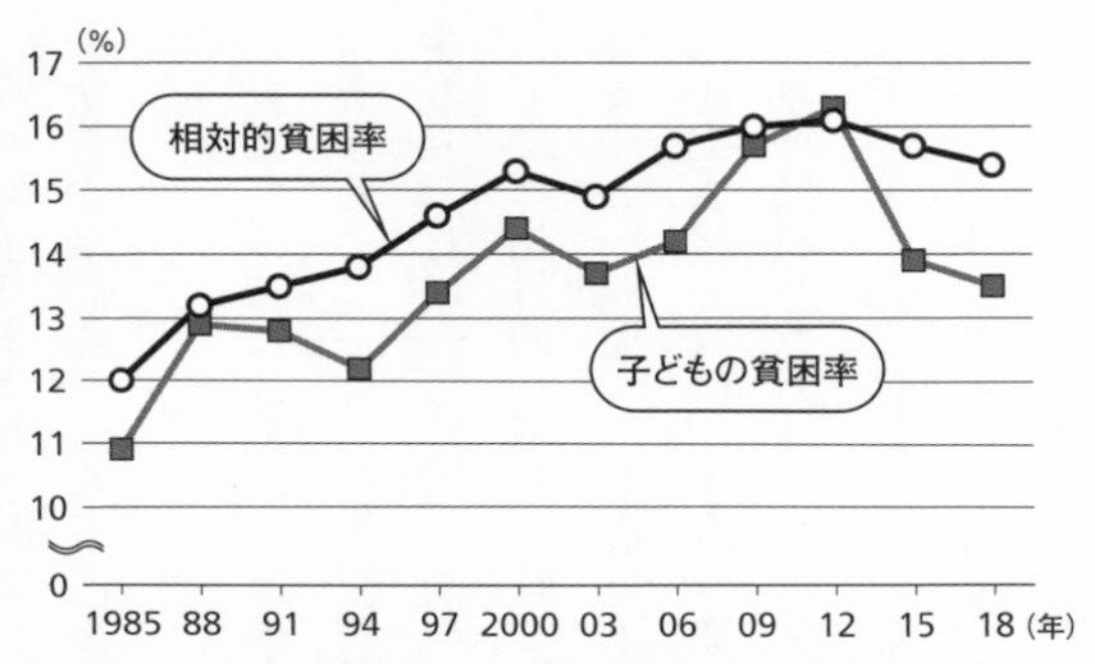

図表6–3　「相対的貧困率」と「子どもの貧困率」（厚生労働省『2019年 国民生活基礎調査の概況』をもとに作成）

とができない。夏休みが終わって学校に出て来ると、子どもがすっかりやせ細っていたというケースも耳にします。そこで、そんな子どもたちに少しでも栄養のあるものを食べてもらいたい。そう考えるボランティアによる「子ども食堂」が全国に増えています。

さらにそういう子どもたちは、学習塾にも通えません。親も忙しくてなかなか子どもの勉強を見てあげることができない。十分な教育を受けられないということになれば、結局、正規労働者として就職することが難しくなり、非正規労働者になりやすい。そういう**貧困の悪循環が日本でもいま、起きている**のです。

格差が広がると経済は発展しない

ここで考えてみたいのは、格差と経済成長の関係です。

たとえば、一握りの大金持ちがいて、残りの大多数が貧しい社会を想像してみてください。大金持ちがいくら贅沢をして、プライベートジェットを買ったり、大邸宅を建てたりしても、じつは国全体の消費はそれほど伸びることはありません。

それよりも、中流層がたくさんいて、何千万人という人々が洗濯機やテレビ、自動車を買うほうが国の経済は発展します。実際、戦後の日本はそうやって発展してきました。

そのため、現在のように格差が大きく広がってくると、経済成長率は落ちていきます。これが日本や欧米などの先進国でいま起きていることです。世界第二位の経済大国となった中国も、成長率は少しずつ落ちています。中国も大変な格差が広がっていますから、今後も成長率は落ちていくことになるでしょう。

したがって、**格差を減らしていくことは、人道的に正しいというだけではなく、経済成長のためにも不可欠**なのです。

では、どうすれば格差を減らすことができるでしょうか。すでに説明したように、これまでは戦争で社会の平等化が一気に進みました。しかし、格差を減らすために、好きこのんで戦争をしようという人はいないでしょう。だとしたら、政治的に何らかの対策をとらなければなりません。

その方策の一つに、累進課税の最高税率を上げることが考えられます。一九八〇年代前半には、所得税と住民税を合わせて九〇%以上だった最高税率が、いまでは五五%まで下がりました。

具体的に言うと、課税対象になる所得が四〇〇〇万円以上の人は、四五%の所得税と一〇%の住民税が課税されます。この税率を六〇〜七〇%ぐらいに上げれば、社会全体の格差はかなり縮まると言われています。

格差解消策としての資産課税

所得税や住民税のほかに、**資産課税の税率を上げることも有力な格差解消策**です。

資産課税とは、株の売買による利益、配当や預貯金の利子にかかる税、土地などにかかる固定資産税、保有している資産全体にかかる財産税、相続税などのことを言います。

たとえば、株の売却益や配当にかかる税率は約二〇%で一定です。ですから、富裕層にとっては所得税の最大税率四五%より税率が低くなります。

こうなると、投資でお金を儲けられる人は、かかる税金も少ないので、どんどん資産が増えていく。その結果、富める者がますます富むことになるわけです。ならば、**資産課税にも累進性を取り入れて、たくさんの資産をもっている大金持ちから多くの税金を徴収すれば格差は縮小します**。

ただ、資産に税金をかけることには反対が多いのも事実です。資産といっても、もともとは働いて手に入れたお金です。そのお金は、所得税や住民税を払って残ったものですから、そこに税金をかけるのは二重課税ではないかという批判があります。

あるいは、株での利益や配当に重い税を課すと、投資家が資産を海外に移転してしまう可能性があります。海外に移した資産は、なかなか調査することができません。下手をしたら、いままで徴収できていた税金も徴収できなくなってしまう。これでは逆効果です。

こういった事情から、なかなか思い切った資産課税の税率アップには踏み切れないのが実情です。

先に紹介したピケティは、資産が国境を越えて移転してしまう事情も踏まえて、世界全体で累進性の強い資産課税を採用すべきだと提案しています。ありとあらゆる個人資産を評価し、資産全体に対して、強い累進性で課税すべきだというわけです。

なぜベーシックインカムが注目されているのか

さらに近年、貧困対策として注目を集めているアイデアが「ベーシックインカム」と呼ばれるものです。

ベーシックインカムとは、直訳すれば「基本的な収入」ということです。すなわち、働いても働かなくても、国民全員に基本的な収入を保障しましょうという仕組みのことを言います。

たとえば、一人に毎月七万円のベーシックインカムを支給する。それを、生まれてから死ぬまで無条件に支給しようというのです。

なぜ、ベーシックインカムが貧困対策になるのでしょうか。

現在の日本には、暮らしに行き詰まった人を支える最後の砦(とりで)として、生活保護制度があります。しかし、生活保護を受けるには、資産や収入、親族の援助の有無など、さまざまな条件をクリアしなくてはなりません。

そのため、厚生労働省によれば、本来、生活保護を必要とする人々のうち、現実には二割程度しか受けていないといいます。残りの八割は、生活保護未満の暮らしをしているということです。

それに比べて、ベーシックインカムは無条件に支給されるものですから、生活保護のように「本来もらっていいのに、もらえていない」ということは起こりません。誰もとりこぼすことなく、憲法で言う「健康で文化的な最低限度の生活」を保障できる。こういった点で、**生活保護に代わる仕組みとして、ベーシックインカムが盛んに議論をされているの**です。

ただ、ベーシックインカムは国民全員に定期的に一定額を支給するものですから、そのための財源は、生活保護に比べてはるかに膨大になります。生活保護制度をやめるだけでは、とうていベーシックインカムは実現できません。

そこで、財源はどうすればいいのかという問題が出てくるわけです。一つのアイデアとして、老後に備える年金制度、失業した場合の雇用保険などの社会保障制度を廃止にするというものがあります。その代わり、赤ちゃんからお年寄りまですべての国民一人ひとりに毎月お金を支払うのです。

そうすれば、社会保障制度を維持するためのさまざまな事務コストも削減できますから、より効率的な政府が実現するという見方もあります。

その他に、**ベーシックインカムには、自由な働き方を後押しするというメリットも挙げられています。**

たとえばいまだと、ベンチャー企業を興そうと思っても、失敗したら一文無しになってしまいます。でも、毎月七万円をもらえれば、多少アルバイトをするだけで、なんとか食べていくことができる。だったら、冒険して新しいビジネスをしてみようという人も現れるかもしれません。

ベンチャー企業でなくとも、芸術家を志したり、フリーランスとして働こうとしたりしている人にとっても、ベーシックインカムはセーフティネットとして機能します。

さらに、**ベーシックインカムは少子化対策にもなる**という識者もいます。ベーシックインカムは、国民全員に支給されるので、家族が多ければ多いほど、毎月もらえる金額は増えることになります。そのため、少子化に歯止めがかかるのではないかと考えられているのです。

新自由主義とベーシックインカム

その一方で、ベーシックインカムのデメリットも指摘されています。

最も多いのは、ベーシックインカムで生活保障をしたら、多くの人が働かなくなってしまうのではないか、というものです。

いまでも、労働者の流動性は高まり、企業は社員を自社につなぎとめるのに苦労しています。そこにベーシックインカムが導入されたりしたら、社員が退職するハードルはさらに下がります。そうすると、結果的に日本経済の発展を妨げてしまうのではないかと考える人もいます。

もちろん、この点はどのくらいの額を支給するかにもよるでしょう。少なすぎたら、生活保護の代わりにはならないし、多すぎると働くモチベーションを損ねてしまうかもしれない。ちょうどいい塩梅の金額がどのくらいか、さまざまな試算が行われており、月七万円ぐらいが妥当ではないかと言われています。

さらに、ベーシックインカムは結局、新自由主義的な「小さな政府」の手段になってしまうと危惧する意見もあります。

考えようによっては、ベーシックインカムは、全国民に一定のお金を毎月配りますから、あとは自分の責任で生活してくださいという「自助」の促進と捉えることもできます。

ここがベーシックインカムを議論するうえで難しいところです。もともとベーシックインカムは、国民全員が安心して暮らせるようにしようという、社会主義的な発想から出てきたアイデアです。

ところが新自由主義的な論者のなかにも、政府の効率化をはかれるという理由でベーシックインカムを支持する人が出てきました。新自由主義的な考え方からすれば、配ったあとの貧困は本人の自己責任ということになるわけです。

世界中で実験が始まっている

二〇一七年から二年間、フィンランドでは、失業者二〇〇〇人を対象に日本円にして月七万円を給付するというベーシックインカムの実験をしました。

結果を見ると、労働面ではあまり大きな変化は見られませんでした。つまり具体的には、従来の失業手当を受給していた失業者と比べて、その間に働く日数には違いがなかったそうです。ただ、ベーシックインカムを支給された人たちの精神的な安定感は高まったといいます。

さらにスペインは、コロナ禍によって貧困者が増大したため、その救済策として、一定の所得以下の国民を対象にベーシックインカムを導入しました。一人暮らしの成人の場合、月およそ五万五〇〇〇円が支給されます。二〇二〇年五月末の閣議で承認され、すでに運用が始まっています。ただ、申請者が殺到し、審査が追いついていないようです。

ドイツでも二〇二一年春から、実験的に人数を絞ってベーシックインカムの実験をすることが予定されています。

考えてみれば、日本が一〇万円の特別定額給付金を支給したのも、ベーシックインカムに近いものです。もしも今後、そうした給付金が繰り返されると、ますますベーシックインカムに近づいていきます。他の海外諸国も同様の取り組みをしていますから、今回のコロナ危機は、ベーシックインカムという未来も先取りしていたのかもしれません。

ベーシックインカムが議論され始めたころは、思考実験的な意味合いが強く、現実味はあまりありませんでした。しかし二〇二〇年のコロナ危機を機に、現実的な選択肢として浮上してきたわけです。

サンダースに熱狂する若者たち

ヨーロッパでベーシックインカムの実験が始まっていることは、現在の資本主義を見直すきっかけになるかもしれません。そして、その兆候はアメリカにも感じられます。

二〇二〇年のアメリカ大統領選の民主党候補者を決める選挙戦では、社会主義的な政策を訴えたバーニー・サンダースやエリザベス・ウォーレンが善戦しました。

サンダースの集会へ行くと彼を支持する若者のエネルギーに驚かされます。まるでロックコンサートのようです。

サンダースたちに大学生が熱狂するのは、彼らが公立大学の授業料無償化や学費ローンの返済免除を公約として掲げているからです。

アメリカの大学は、学費が高いことで知られています。有名私立大学では、年間で四〜五万ドルかかり、州立大学でも一〜二万ドルです。アメリカでは、大学の学費は自分でなんとかするのが当然視されていますから、奨学金を受給できない人は学費ローンを借りることになります。その結果、大学を出た時点で日本円にしたら一〇〇〇〜二〇〇〇万円の借金を抱えてしまうわけです。

そのなかには卒業しても、低賃金の仕事にしか就けない人もいます。それではローンの返済はできないので破産してしまう。学費ローン破産はアメリカで大きな問題になっています。だから、公立大学の授業料無償化や学費ローンの返済免除を訴えるサンダースやウォーレンが、熱狂的に応援されるのです。

そんなサンダースのことを、トランプは左翼だ、社会主義者だ、極左だ、と非難しました。トランプの世代にすると、社会主義は悪です。一九四〇年代生まれのアメリカ人というと、社会主義はソ連を思い起こさせる悪しきものになる。

ですが、ベルリンの壁が崩壊し、社会主義が崩壊してからもう三〇年経っているので、いまのアメリカの学生に社会主義アレルギーはありません。世代によって、社会主義に対するイメージはまったく違うのです。

アメリカ社会で起きている変化

先に挙げたサンダース、ウォーレン、あるいはサンダースを支持している民主党下院議員のオカシオ・コルテスの三人は、ともに医療保険改革も提唱しています。

オバマ政権時の改革で、一応多くの国民が保険に入れるようにはなりました。いわゆるオバマケアと呼ばれるもので、政府が補助金を支給することで、民間の医療保険への加入を義務付けました。しかし、民間の保険なので掛け金が高く、補助金だけでは支払えない人もいて、まだ保険に入っていない人も大勢います。二〇一九年末の時点では、約二九〇〇万人が無保険の状態でした。

サンダースらは、それを問題視し、日本のような国民皆保険にしようと訴えているわけです。

おそらく今回のコロナ禍によって、少なからぬアメリカ人が国民皆保険制度の必要性を感じたでしょう。

新型コロナウイルスに感染して、二ヶ月ほど入院した男性が、退院後に一億円超の医療費の請求書が届き、日本でもニュースになりました。結果的には、この男性には高齢者向けの保険が適用されるため、支払いの必要は生じなかったのですが、アメリカの医療費の高さがよくわかるエピソードです。

ただ、感染が拡大した当初は、感染の検査費用でも数十万円の支払いが請求されたというケースはよく見られました。その後、保険に入っていない人の検査費や治療費は、連邦政府の予算から支出されることになり、無保険者は胸をなでおろしたことでしょう。保険加入者にしても、ふだんの治療費であれば自己負担が発生するところを、コロナの治療に関しては、保険会社が免除することを決めました。

このようにして、アメリカではコロナ危機によって、国民皆保険のような状態が一時的に生まれました。病気になったとき、国が面倒を見てくれると安心できる。そう思った人もいるでしょう。この経験がきっかけとなって、今後、サンダースたちの主張に賛同を示すアメリカ人も増えていくかもしれません。

サンダースとコルテスは、「**民主社会主義者**」と自称しています。彼らの主張は、従来の社会主義礼賛とはまったく違うものです。超格差社会のなかで、貧困にあえいでいる人を助けたい。若者に平等なチャンスを与えたい。安心して医療サービスを受けられるようにしてあげたい。これらは、北欧の民主主義国ですでに実現していることです。だったら、アメリカでもできるはずだろうということで、「民主」社会主義と言っているのです。

そういう訴えに抵抗のない人たちが増えていけば、アメリカ社会が格差拡大にブレーキをかける方向に向かっていく可能性もあるかもしれません。

未来の「社会的共通資本」を想像する

格差や貧困に加え、本書で扱ってきた気候変動、世界的なコロナ危機、データ経済、米中新冷戦、差別や排外主義といった問題は、いずれもグローバルな資本主義が危機に直面していることを示すものです。

すでにコロナ以前から、グローバル資本主義に背を向ける出来事は起こっていました。

イギリスのＥＵ離脱しかり、トランプ現象しかり、ヨーロッパでの極右政党の台頭しかり。世界中で自国第一主義が広まっています。

しかし自国第一主義では、気候変動問題やコロナ危機のような地球規模の課題を解決することはできません。

かといって、かつての社会主義者が夢見たような社会主義革命を、いまの時代に期待する人はほとんどいないでしょう。本書のなかで見てきたように、歴史的に社会主義は資本主義に敗北してしまいました。マルクスの『資本論』にもとづいて、資本主義を批判することはできても、私有財産の撤廃という理想は、もはや共産党が政権を取っている中国でさえ歯牙にもかけていないはずです。

「ポスト資本主義」という言葉もよく耳にするようになりました。しかし、資本主義を乗り越えるような経済システムが具体的にどのようなもので、どのような仕組みをしているのか、まだ人類は見つけられていません。

ならば、**資本主義の問題点を資本主義の枠内で解決していく術を模索しなければなりません。**そのヒントを与えてくれるのが、二〇一四年に亡くなった経済学者・宇沢弘文さんの

「**社会的共通資本**」という考え方です。

社会的共通資本とはなんでしょうか。宇沢さんは、次のようにまとめます。

> 社会的共通資本は、一つの国ないし特定の地域に住むすべての人々が、ゆたかな経済生活を営み、すぐれた文化を展開し、人間的に魅力ある社会を持続的、安定的に維持することを可能にするような社会的装置を意味する。（宇沢弘文『社会的共通資本』岩波新書）

社会的共通資本は、大気や森林、河川、土壌などの自然環境と、道路や交通機関、上下水道、電力・ガスなどの社会基盤、そして教育や医療、司法、金融などの制度資本から成り立ちます。

たとえば、病気になったときに安心して医療を受けられることも、きわめて大事な共通資本です。宇沢さんは、「医療を経済に合わせるのではなく、経済を医療に合わせるべきであるというのが、社会的共通資本としての医療としての考え方の基本的意識である」と主張します。**医学や医療の分野に、経済的合理主義を短絡的に導入してはいけないのです。**

私は、このコロナ危機のなかで、宇沢さんの主張の重要性をあらためて思い知らされました。

厚生労働省は、二〇一九年から診療実績が乏しい病院の統廃合の検討を進めていました。リストに上がった四二四の病院はとくに再編統合についての議論が必要だというのです。病院がすぐ近くにある都会の人はピンとこないかもしれませんが、島根や鳥取などの地方では、県内に数少ない公立病院が減らされてしまうことは、じつに深刻な問題です。

もしも、統廃合を終えたあとに、コロナ危機が起きていたら、大変な事態になっていたでしょう。現実には、その前にコロナ危機がやってきました。その結果、統廃合の議論は立ち消えになっています。

この話は、未来に対する想像力の持ち方に重要な示唆を与えてくれます。目先のコスト削減や効率化だけを進めると、コロナ禍のような有事の際に「溜め」がなくなってしまいます。

効率化が必要であっても、私たちの生活や健康、命が効率化でおろそかになってはいけません。平時の延長上だけでものを考えると、何かあったときに対処しきれなくなり、大変な事態になってしまう。そうならないように、変化の予兆を敏感に察知し、一方で過去の失敗から、私たちだったら逆に何ができただろうか、といまから未来に備えておくことが大事です。

そのことは言い換えれば、私たちにこれからどんな「社会的共通資本」が必要かを考えることでもあるのです。

おわりに

このところ書店の店頭には「教養」や「リベラルアーツ」を冠した題名の書籍が目立つようになりました。時ならぬ教養ブームでしょうか。

本書の「おとなの教養」という書名も、まるで、このブームに乗ってつけられたかのように思われては不本意です。シリーズの最初は二〇一四年に出版されているからです。最初の本は幸い多くの人の支持を得て、続編がつくられましたが、これも多く人に受け入れられ、こうしてパート3が誕生しました。

世界は激動しています。という言い方は、昔からありますが、新型コロナウイルスの感染拡大で世界が大混乱したのを見ると、改めて自分の足元を点検したくなるのではないでしょうか。

コロナ禍で経済活動が一斉に止まった結果、皮肉なことに世界の自然環境は改善されました。

コロナ禍で、あらためてウイルスについて注目が集まりました。

コロナ禍で緊急事態宣言が出て在宅勤務が推奨されたのに、十分な対応ができなかった組織が続出し、日本社会のデジタル化の遅れが露呈（ろてい）しました。

コロナ禍で世界経済が落ち込むなかで、中国だけはいち早く経済が復活し、中国を脅威とみなすアメリカとの間での緊張が高まっています。

コロナ禍で死者が激増していたアメリカでは黒人差別が大きな問題になりました。

コロナ禍で一番被害を受けたのは低所得層でした。ウイルスは〝平等に〟人間に襲いかかっても、被害の程度は所得と大きな関係があるのです。格差拡大の資本主義は、どうあるべきなのか。

このように、二〇二〇年からの新型コロナの感染拡大は、私たちの社会の脆弱（ぜいじゃく）性を明らかにしました。本書では、いま挙げた六つの項目について、じっくり考える材料を提供しようと考えました。

本シリーズの第一作の副題は「私たちはどこから来て、どこへ行くのか？」でした。続編の副題は「私たちはいま、どこにいるのか？」でした。過去を振り返り、現在を見つめたのです。そして本書の副題は「私たちは、どんな未来を生きるのか？」です。過去、現在そして未来。三冊を通じてコロナ禍を乗り越え、これからの世界を考える一助になれば幸いです。

本書の出版にあたり、NHK出版の大場旦氏と山北健司氏にお世話になりました。これまでと同じく、まずはNHK文化センター青山教室で講義し、その内容をもとにしています。コロナ禍での講義のため、教室に入れる受講生の数を絞り、入れない人にはリモート講義を行いました。受講生の人たちの熱心な質問も大いに参考になりました。

書籍の形にするにあたっては、今回も斎藤哲也氏にお世話になりました。斎藤氏も私の講義を教室で聞いてくださいました。

激動する時代だからこそ、時代を見るしっかりとした目が求められています。これまでと同じく、多くの人のもとに届くことを願っています。

二〇二一年三月

ジャーナリスト　池上　彰

文献案内

1　さらに学びたい人のために

この本を読んで、もっと勉強したくなった人のために、著者のいくつかの書籍を紹介しておきます。

・『そうだったのか！　現代史』集英社文庫、二〇〇七年
・『そうだったのか！　アメリカ』集英社文庫、二〇〇九年
・『アメリカを見れば世界がわかる』ＰＨＰ研究所、二〇一六年
・『池上彰の世界の見方 中国・香港・台湾――分断か融合か』小学館、二〇一六年
・『池上彰の世界の見方 中東――混迷の本当の理由』小学館、二〇一七年
・『池上彰と現代の名著を読む――東工大・白熱読書教室』筑摩書房、二〇一七年
・『池上彰が聞いてわかった生命のしくみ――東工大で生命科学を学ぶ』朝日文庫、二〇一九年
・『いまこそ「社会主義」――混迷する世界を読み解く補助線』朝日新書、二〇二〇年（共著）
・『コロナウイルスの終息とは、撲滅ではなく共存』ＳＢ新書、二〇二〇年（共著）
・『コロナ時代の経済危機――世界恐慌、リーマン・ショック、歴史に学ぶ危機の乗り越え方』ポプラ新書、二〇二〇年（共著）
・『知らないと恥をかく世界の大問題11――グローバリズムのその先』角川新書、二〇二〇年
・『一気にわかる！　池上彰の世界情勢２０２１――新型コロナに翻弄された世界編』毎日新聞出版、二〇二一年

2　主要参考文献（登場順）

・江守正多ほか『地球温暖化はどれくらい「怖い」か？——温暖化リスクの全体像を探る』技術評論社、二〇一二年
・斎藤幸平『人新世の「資本論」』集英社新書、二〇二〇年
・ウィリアム・H・マクニール（著）、佐々木昭夫（訳）『疫病と世界史　上・下』中公文庫、二〇〇七年
・小田中直樹『感染症はぼくらの社会をいかに変えてきたのか——世界史のなかの病原体』日経BP、二〇二〇年
・出村政彬『ちゃんと知りたい！　新型コロナの科学——人類は「未知のウイルス」にどこまで迫っているか』日経サイエンス、二〇二〇年
・クリストファー・ワイリー（著）、牧野洋（訳）『マインドハッキング——あなたの感情を支配し行動を操るソーシャルメディア』新潮社、二〇二〇年
・宮田裕章『共鳴する未来——データ革命で生み出すこれからの世界』河出新書、二〇二〇年
・総務省『平成30年版 情報通信白書』
・総務省『令和2年版 情報通信白書』
・スコット・ギャロウェイ（著）、渡会圭子（訳）『the four GAFA——四騎士が創り変えた世界』東洋経済新報社、二〇一八年
・伊藤亜聖『デジタル化する新興国——先進国を超えるか、監視社会の到来か』中公新書、二〇二〇年
・梶谷懐、高口康太『幸福な監視国家・中国』NHK出版新書、二〇一九年

・フランシス・フクヤマ（著）、渡部昇一（訳・特別解説）『歴史の終わり　上・下』三笠書房、一九九二年
・川島真、森聡（編）『アフターコロナ時代の米中関係と世界秩序』東京大学出版会、二〇二〇年
・明石紀雄、飯野正子『エスニック・アメリカ――多文化社会における共生の模索　第3版』有斐閣選書、二〇一一年
・辻内鏡人、中條献『キング牧師――人種の平等と人間愛を求めて』岩波ジュニア新書、一九九三年
・ナンシー・グリーン（著）、明石紀雄（監修）、村上伸子（訳）『多民族の国アメリカ――移民たちの歴史』創元社、一九九七年
・J・D・ヴァンス（著）、関根光宏、山田文（訳）『ヒルビリー・エレジー――アメリカの繁栄から取り残された白人たち』光文社、二〇一七年
・フランシス・フクヤマ（著）、山田文（訳）『IDENTITY――尊厳の欲求と憤りの政治』朝日新聞出版、二〇一九年
・トマ・ピケティ（著）、山形浩生ほか（訳）『21世紀の資本』みすず書房、二〇一四年
・Thomas Piketty, *Capital and Ideology*, Harvard University Press, 2019.
・厚生労働省『2019年 国民生活基礎調査の概況』
・宇沢弘文『社会的共通資本』岩波新書、二〇〇〇年
・宇沢弘文『経済学と人間の心』東洋経済新報社、二〇〇三年

池上 彰 いけがみ・あきら
1950年、長野県生まれ。慶應義塾大学卒業。
NHKで記者やキャスターを歴任、
94年より11年間『週刊こどもニュース』でお父さん役を務める。
2005年より、フリージャーナリストとして多方面で活躍中。
東京工業大学リベラルアーツセンター教授を経て、
現在は名城大学教授、東京工業大学特命教授、
東京大学客員教授など9つの大学で教える。
著書に『見通す力』『おとなの教養——私たちはどこから来て、
どこへ行くのか？』『はじめてのサイエンス』
『おとなの教養2——私たちはいま、どこにいるのか？』
（以上、NHK出版新書）、『伝える力』（PHPビジネス新書）、
『そうだったのか！現代史』（集英社文庫）など多数。

NHK出版新書 650

おとなの教養3
私たちは、どんな未来を生きるのか？

2021年4月10日　第1刷発行

著者　池上 彰
発行者　森永公紀
発行所　NHK出版
〒150-8081 東京都渋谷区宇田川町41-1
電話（0570）009-321（問い合わせ）（0570）000-321（注文）
https://www.nhk-book.co.jp（ホームページ）
振替 00110-1-49701

ブックデザイン　albireo
印刷　壮光舎印刷・近代美術
製本　二葉製本

Printed in Japan ISBN978-4-14-088650-2 C0200

NHK出版新書

池上 彰 好評既刊

おとなの教養

私たちはどこから来て、どこへ行くのか？

教養とは「自分を知ること」。「宗教」「宇宙」「歴史」「経済学」「日本と日本人」……現代人必須のリベラルアーツ7科目が一気に身につく決定版！

431

おとなの教養2

私たちはいま、どこにいるのか？

AIからキャッシュレス社会、日本国憲法まで。歴史や経済、政治学の教養をベースに、わかりやすい解説で問題のみなもとにまで迫る第2弾！

581

おとなの教養3

私たちは、どんな未来を生きるのか？

気候変動、データ経済とDX、ポスト資本主義など。喫緊の6テーマを歴史や科学、経済学の教養にもとづき講義形式で解説するシリーズ第3弾！

650

はじめてのサイエンス

いま学ぶべきサイエンス6科目のエッセンスが一気に身につく。再生医療から地球温暖化まで。ニュースの核心も理解できる。著者初の科学入門。

500